# Cartes sur table

René Richterich    Brigitte Suter

**HACHETTE**
français langue étrangère

## Cartes sur table pour débutants comprend :

- un livre
- un cahier d'exercices complémentaires
- deux cassettes pour la classe
- une cassette pour les exercices personnels
- un guide d'utilisation

## Cartes sur table 2 comprend :

- un livre
- deux cassettes pour la classe
- deux cassettes pour les exercices personnels
- un guide d'utilisation

**dessins de**
Amalric : 76 / Charmoz : 60 / Cl. Cormier : 10-108 / R. Daems : 64-100 /
F. Jackson : pages de droite et 20 / Cl. Le Gallo : 48-50 / P. Le Tan : 54 (paru dans
*La Maison de Marie-Claire*, n° 126) / Lermite : 118 (Petit Matin aux Verrières I,
1957, reproduit dans *Lermite*, Éditions du Griffon) / W. Marshall :
16-18-80-116 / C. Millet : 14-40-41-62-68 / Peynet : 56 (paru dans *Parler
d'amour avec tendresse*, Fayard) / Plantu : 32-36-66-82-90-124 (paru
dans *Le Monde de l'Éducation*, oct. 1979) / J. Richardson : 56-88 /
J. Schatzberg : 26-38-96-98 / P. Woolfenden : couverture,
pages de droite et 72-104.
Carte p. 120 : *Le Monde de l'Éducation*, n° 54.

**photographies de**
Almasy : $112^1$-$112^2$ / Archives Photos Peugeot : $34^1$ / Bavaria, Scholz et Vloo :
$110^5$ / A. de Bergh : $110^2$-$110^3$-$110^4$ / Boiffin-Vivier, Rush : $48^1$ / G. Deroo : $34^2$ /
Georg Gerster, Rapho : $112^4$ / Institut belge d'Information et de
Documentation : $112^3$ / Ph. Johnsson : $122^2$-$123^3$ / Ph. Johnsson et D. Lointier :
70 / L. Jou : $106^4$ (Chapo) /
Pictor International : $110^1$ / N.D. Roger Viollet : $122^1$ / H. Szwarc :
20-$48^2$-$48^3$.

**maquettes de**
Amalric / A. Depresle / Cl. Le Gallo / D. Lointier — couverture : Amalric

Les textes de la page 119, h 14, sont de :
1. O. Soce, *Karim*, Nouvelles éditions latines / 2. A. Hébert, *Kamouraska*, Le Seuil /
3. J. Chessex, *Portrait des Vaudois,* Cahiers de la Renaissance vaudoise.

ISBN 2.01.007811.X

*Nous remercions Albert Raasch de nous avoir aidés à concevoir « Cartes sur table », André Reboullet d'avoir suivi d'un œil critique et vigilant les différentes étapes de sa réalisation, Anne de Bergh, non seulement d'en avoir assuré la fabrication, mais surtout de nous avoir encouragés et conseillés avec constance et compétence.*

*Les auteurs.*

# Introduction

## Quelques règles du jeu pour l'utilisation de Cartes sur table

Pourquoi « *Cartes sur table* »? Parce que l'apprenant trouve dans ce seul volume, ouvertement et clairement, les éléments qui lui sont nécessaires pour apprendre le français et qui lui permettront d'acquérir progressivement une certaine autonomie dans son apprentissage.

*Cartes sur table* a été conçu pour des adultes ou des grands adolescents **débutants ou faux débutants**, c'est-à-dire des personnes qui ont, à un certain moment, appris le français mais ne l'ont plus pratiqué et l'ont, par conséquent, oublié presque totalement.

**Répartition dans le temps**

*Cartes sur table* représente environ **60 heures** d'enseignement. Prévue pour être utilisée dans des cours extensifs de 2 à 4 heures hebdomadaires, elle peut très bien l'être dans des cours plus intensifs, comme les cours de vacances par exemple. La matière est répartie en **15 unités,** couvrant chacune 4 heures d'enseignement. Chaque unité peut toutefois être divisée en 2 séances de 2 heures.

**Les déclencheurs d'apprentissage**

Toutes les **pages de gauche** sont utilisées comme **déclencheurs d'apprentissage.** Ce terme désigne ici les illustrations et textes destinés à provoquer, à « déclencher » l'intérêt, le désir, le besoin d'apprendre et à fournir le point de départ ou le support, parfois simplement l'évocation, des activités pédagogiques développées sur les pages de droite. (Par exemple, la page 36 illustre la nécessité d'écouter un texte jusqu'au bout sans se laisser arrêter par des mots ou expressions inconnus, le sens général d'un texte pouvant être très souvent saisi à la fin seulement. C'est cette compréhension orale qui est exercée au début de la page 37 par l'activité e4. De la même façon, la page 52 propose différents types de textes impliquant différents types de lecture qui sont pratiqués dans l'activité g6. En revanche, la page 118 veut simplement évoquer le paysage d'un pays francophone, le Jura neuchâtelois en Suisse, puisque le thème de l'activité h14 de la page 119 est la francophonie.

**Les activités pédagogiques**

Les **activités pédagogiques** figurent sur les **pages de droite** et sont indiquées par une lettre de l'alphabet suivie du numéro de l'unité. Elles se font sous la conduite de l'enseignant, soit dans le groupe-classe dans son ensemble, soit en petits groupes, soit encore, individuellement. La succession des activités suit un certain déroulement pédagogique logique dans le temps. Néanmoins, chaque groupe enseignant-apprenants peut, s'il le désire, interpréter, adapter, modifier, compléter, simplifier cette succession et ce déroulement selon ses intérêts, ses besoins, ses possibilités · et selon les conditions d'enseignement-apprentissage.
Ces activités, variées, couvrent les **quatre aptitudes :** compréhension orale et écrite, production orale et écrite.
Elles peuvent être classées en **trois catégories :**
— **activités de sensibilisation** par lesquelles l'apprenant prend conscience d'un problème linguistique (par exemple : a 5 p. 41, a 8 p. 65) ou de communication (a 2 p. 17, i 8 p. 71, d 12 p. 99) ou d'apprentissage (e 4 p. 37, a 10 p. 81)
— **activités de découverte** qui aident l'apprenant à trouver des solutions aux problèmes linguistiques (b 8 p. 65, d 9 p. 75) ou de communication (a 9 p. 73, c 11 p. 91) ou d'apprentissage (g 6 p. 53, a 7 p. 57)
— **activités de pratique** qui permettent à l'apprenant d'exercer des formes linguistiques (c 6 p. 49, e 9 p. 75), de pratiquer la communication (f 3 p. 29, a 11 p. 89), d'utiliser des techniques d'apprentissage (k 4 p. 39, g 9 p. 79).

**Les exercices personnels**

Numérotés de 1 à 67, des **exercices personnels** complètent les activités pédagogiques en renforçant l'acquisition de certains problèmes linguistiques et de communication. Il appartient, en principe, à l'apprenant de décider de les faire individuellement, en plus des activités réalisées en classe. Il est toutefois conseillé, surtout au début de l'apprentissage, de les préparer en groupe.

**Les consignes**

Activités pédagogiques et exercices personnels sont introduits par des **consignes** qui indiquent brièvement ce que l'apprenant doit faire. Ces consignes ont été rédigées de façon à fournir, dès le début, à l'enseignant et aux apprenants les termes d'un langage commun qui leur permettra d'organiser directement et ouvertement (n'oublions pas le titre « Cartes sur table ») leur enseignement-apprentissage. C'est la raison pour laquelle il importe de les considérer comme parties intégrantes des contenus linguistiques à apprendre, et il faudra consacrer, surtout au début, le temps nécessaire à leur compréhension.

**Les points de repère grammaticaux**

Dans chaque unité, sur certaines pages de droite, des **points de repère grammaticaux** signalent un problème linguistique abordé dans une ou plusieurs activités pédagogiques et sur lequel il convient de porter son attention. Les numéros mentionnés renvoient au **paragraphe de la grammaire** (pp. 128 à 145) où le problème est présenté dans son ensemble (par exemple : p. 19, « grand, grande 9 » renvoie au paragraphe 9 sur l'adjectif qualificatif; p. 105, « combien? comment? quand? 16 » renvoie au paragraphe 16 sur la construction interrogative; p. 105, « je réserverai, nous ferons 41, 42 » renvoie aux paragraphes sur la conjugaison et l'emploi du futur). **Attention :** il est clair qu'il est impossible d'apprendre et de retenir en une seule fois dans son ensemble un problème signalé dans un point de repère. La règle du jeu, ici, consiste à consulter rapidement, en commun, le paragraphe correspondant de la grammaire; c'est à l'apprenant qu'il appartiendra ensuite, par un travail permanent de répétition et de mémorisation, de fixer peu à peu l'utilisation des principaux problèmes grammaticaux présentés.

**Les actes de parole**

Utiliser une langue, c'est agir dans cette langue. La communication se traduit, en définitive, par des **séries d'actes** que les interlocuteurs, dans une situation donnée, réalisent au moyen d'énoncés qui peuvent prendre des formes fort diverses. Par exemple, l'acte A de demander à quelqu'un de ne pas fumer et celui, B, de refuser pourraient être accomplis ainsi :

A : Ne fume pas, s'il te plaît.
B : Mais j'ai le droit de fumer.

A : Je vous serais reconnaissant de ne pas fumer.
B : Je vous prie de m'excuser, mais je ne peux pas m'en empêcher.

A : Oh ! quelle fumée ! on ne peut plus respirer.
B : Va ailleurs.                                                    etc.

Tout dépend de la situation et des rapports des interlocuteurs entre eux. C'est ce phénomène qu'illustrent les petites **bandes dessinées** des pages de droite (par exemple, pages 29, 73, 123). Leur but est simplement d'attirer l'attention de l'apprenant sur cette dimension de la langue. Mais elles peuvent être aussi le point de départ d'exercices de communication. Chaque acte est énoncé en clair dans la marge et illustré par une ou deux situations.

**Les bilans**

À la fin de chaque unité (voir pages 15, 23, 31, etc.), un **bilan** rappelle les problèmes les plus importants qui y ont été traités dans les trois domaines : **grammaire** (« n'oubliez pas »), **communication** (« essayez aussi de »), **apprentissage** (« comment... »). Des renvois à des activités pédagogiques et à des exercices personnels ainsi qu'à des paragraphes de la grammaire permettent à l'apprenant de réviser rapidement les contenus essentiels de chaque unité.

**Les unités paliers**

La deuxième partie des unités 5 et 10 (pages 44-47 et 84-87), ainsi que deux pages de l'unité 3 (pages 30-31) permettent aux apprenants de **faire le point** sur leur apprentissage au moyen d'exercices collectifs et individuels ainsi que de questionnaires d'auto-évaluation. Faire le point signifie se situer par rapport à un objectif et au parcours suivi pour l'atteindre. Les **paliers** devraient donc être l'occasion pour les apprenants et l'enseignant d'évaluer ouvertement leur apprentissage et son enseignement pour prendre, éventuellement, en commun, des décisions pour la suite de leur travail.

**La grammaire**

La **grammaire** que l'on trouve aux **pages 128-145** a une fonction bien précise : fournir à l'apprenant, sous forme de tableaux récapitulatifs, une vue d'ensemble sur les principaux problèmes grammaticaux signalés dans les repères et qu'il doit apprendre à manipuler s'il veut communiquer en français. Répartis en 46 paragraphes, ils ne sont pas présentés selon une succession ou une progression pédagogique, mais dans un ordre arbitraire traditionnel qui va des problèmes relatifs au nom à ceux relatifs au verbe.

**Le lexique**    700 mots environ figurent dans le **lexique** aux **pages 157-160.** Ce sont ceux qui ont été jugés les plus courants et utiles, étant entendu qu'il est bien difficile de déterminer des critères de choix. D'autres mots apparaissent bien sûr dans « Cartes sur table » mais ils ne sont pas mentionnés dans le lexique parce que, dans un apprentissage de 60 heures, il n'est pas apparu nécessaire de les retenir. Ont été exclus de la liste tous les termes grammaticaux qu'on trouvera dans la grammaire ainsi que certains mots peu courants utilisés dans les consignes et dont le sens doit être expliqué et compris en fonction des tâches à accomplir (par exemple : une fiche, une grille, souligner, etc.). Il convient de suivre une règle générale pour tout ce qui concerne le vocabulaire : ne pas vouloir connaître toujours le sens exact de tous les mots d'un texte. Apprendre à deviner, à associer, à déduire. Accepter l'approximation si le sens global est compris.

**Les enregistrements**    Tous les **textes enregistrés** liés aux activités de classe et dont la reproduction écrite n'apparaît pas dans les unités, se trouvent **pages 146-152.** Cette transcription ne sert qu'à un renforcement ou à un contrôle éventuels après l'écoute, qui doit toujours se faire sans l'aide du support écrit.

**Les exercices personnels (contenu et autocorrection)**    De même, les contenus et les solutions des exercices personnels figurent aux **pages 153-156.** Inutile d'insister sur le fait qu'il est préférable de consulter ces pages après avoir fait chaque exercice.

**Les cassettes**    **Deux cassettes** portant la mention **« exercices collectifs »** contiennent tous les enregistrements indispensables à la réalisation des activités pédagogiques.
**Une cassette** avec la mention **« exercices personnels »** en contient les enregistrements.
Dans le livre, le signe ☢ précède toute activité ou tout exercice à faire à partir d'un enregistrement.

---

**Règles du jeu pour l'enseignant**    1  Donnez un sens à chaque activité pédagogique et faites-le comprendre aux apprenants.
2  Multipliez les possibilités d'écouter ou de lire chaque texte oral ou écrit.
3  Multipliez les occasions d'écouter du français sans l'aide de l'écrit et sans exiger une compréhension détaillée.
4  Aidez les apprenants à communiquer en français en fonction de leurs moyens et sans trop tenir compte de la correction ou de la perfection des phrases utilisées.
5  Présentez rapidement mais à plusieurs reprises chaque problème grammatical sans attendre des apprenants qu'ils comprennent et retiennent tout d'un seul coup.
6  Offrez l'éventail le plus large possible des différents moyens d'apprendre.
7  Suscitez la discussion à propos du déroulement du cours. Offrez aux apprenants des occasions de prendre des décisions avec vous.
Enseignez « cartes sur table ».

---

**Règles du jeu pour l'apprenant**    1  Essayez de comprendre pourquoi vous faites chaque activité ou chaque exercice personnel.
2  Écoutez ou lisez plusieurs fois un texte oral ou écrit avant de déclarer que vous n'avez rien compris.
3  Écoutez le plus de textes possible jusqu'au bout sans vous arrêter sur des mots que vous ne comprenez pas. Habituez-vous à deviner.
4  Essayez toujours de vous débrouiller avec ce que vous savez déjà sans craindre les fautes.
5  Découvrez vous-même, par l'observation, la comparaison, l'association, la déduction, comment fonctionne la langue française.
6  Essayez tous les moyens d'apprendre qu'on vous propose sans les juger trop rapidement.
7  Discutez avec votre enseignant des cours et de votre apprentissage. Ce dernier vous appartient.
Apprenez « cartes sur table ».

# 1

Ph. Baitel/Rush

Ph. Zachmann/Rush

Ph. G. Buthaud/Rush

Ph. Baitel/Rush

saluer

se présenter

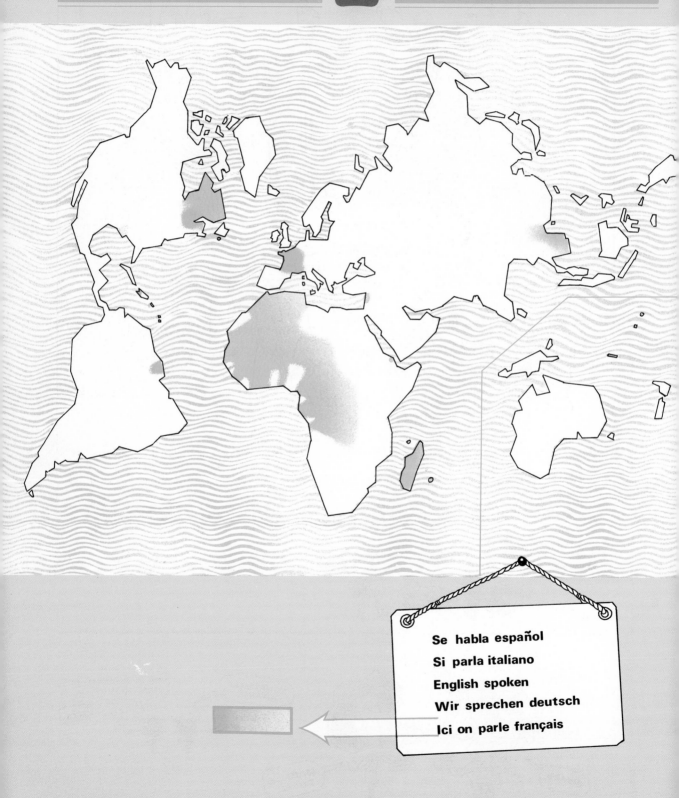

Se habla español

Si parla italiano

English spoken

Wir sprechen deutsch

Ici on parle français

**a 1** Ecoutez.
Ecoutez et repérez les mots français.

**b 1** Ecoutez et répétez.

**c 1** Apprendre le français. Pourquoi ?

**d 1** Regardez la page 10 et trouvez le nom français :

*Le Canada, l'Italie, la Belgique, les Etats-Unis...*

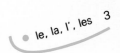

le, la, l', les 3

**exercice personnel**

1/ Ecoutez et indiquez (x) les mots français.

|              | 1 | 2 | 3 | 4 | 5 | 6 | 7 | 8 | 9 | 10 |
|--------------|---|---|---|---|---|---|---|---|---|----|
| français     |   | ✗ |   |   |   |   |   |   |   |    |
| pas français | ✗ |   |   |   |   |   |   |   |   |    |

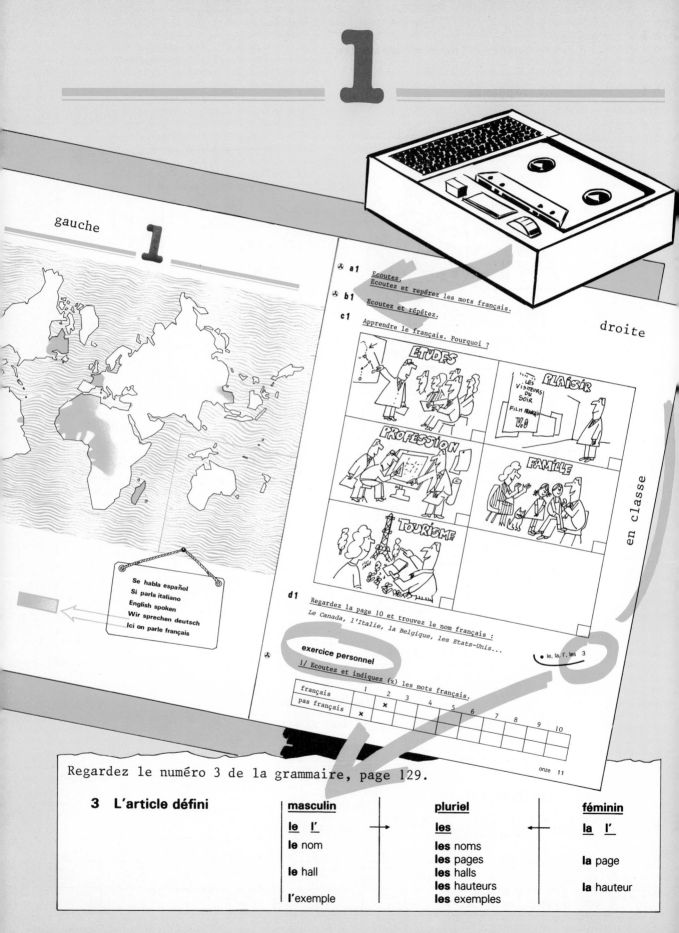

gauche

1

Se habla español
Si parla italiano
English spoken
Wir sprechen deutsch
Ici on parle français

a1  Ecoutez.
b1  Ecoutez et repérez les mots français.
c1  Ecoutez et répétez.

droite

Apprendre le français. Pourquoi ?

ÉTUDES

PLAISIR

PROFESSION

FAMILLE

TOURISME

d1  Regardez la page 10 et trouvez le nom français :
Le Canada, l'Italie, la Belgique, les Etats-Unis...

● le, la, l', les   3

exercice personnel

1/ Ecoutez et indiquez (x) les mots français.

| français | | 1 | | 2 | 3 | 4 | 5 | 6 | 7 | 8 | 9 | 10 |
|---|---|---|---|---|---|---|---|---|---|---|---|---|
| pas français | | × | | × | | | | | | | | |

en classe

onze  11

Regardez le numéro 3 de la grammaire, page 129.

**3   L'article défini**

| **masculin** | **pluriel** | **féminin** |
|---|---|---|
| **le   l'** → | **les** ← | **la   l'** |
| **le** nom | **les** noms | |
| | **les** pages | **la** page |
| **le** hall | **les** halls | |
| | **les** hauteurs | **la** hauteur |
| **l'**exemple | **les** exemples | |

**e 1**  Regardez la page 12.
Regardez aussi la page 28 et la page 29.
Regardez la page 129.

Comprenez les mots :

        Ecoutez
        Répétez
        Repérez
        Trouvez
        Comprenez

écoutez ⟶ écouter
comprenez ⟶ comprendre   45

        Le magnétophone
        La cassette
        Ecoutez
        Répétez

        Le livre
        La page     de gauche
                    de droite
        L'exercice en classe
                    personnel
        Ecrire

**f 1**  Ecoutez et répétez.

un, deux, trois...  26

**g 1**  Trouvez dans le livre 5 exemples. Ecrivez ( 🖉 ).

*(page 11) Ecoutez.* ⟶ *écouter*
*(page 39) Lisez.* ⟶ *lire*

écrivez ⟶ écrire
lisez ⟶ lire   45

**exercices personnels**

2/ Ecoutez et répétez.

3/ Trouvez le verbe.

Exemple : *Ecoutez* la cassette.

1 ... la page.
2 ... l'exercice.
3 ... le professeur.
4 ... l'exemple.

5 ... le nom français.
6 ... les mots.
7 ... le livre.
8 ... la grammaire.

**h 1**    Vous comprenez :

un taxi
le bar
un hôtel
un café

Continuez.

et aussi :

le football
le tennis
...

• un, une  5

**i 1**    Ecoutez. Un ou une ? (x)

|   | un | une |
|---|---|---|
| 1 | ✗ |  |
| 2 |  |  |
| 3 |  |  |
| 4 |  |  |
| 5 |  |  |

|   | un | une |
|---|---|---|
| 6 |  |  |
| 7 |  |  |
| 8 |  |  |
| 9 |  |  |
| 10 |  |  |

saluer

**exercice personnel**

4/ Regardez la page 10. Ecrivez dix (10) noms de pays.

Exemples : *la France - l'Italie - ...*

● N'oubliez pas :
le Canada, la France,
le bal, la page _____ regardez grammaire 3 (G 3), d 1 et h 1.
un magnétophone, une cassette _____ G 5 et h 1.
Écoutez, répétez _____ G 45.

💬 Essayez aussi de :
saluer quelqu'un

**a 2**  <u>Regardez la page 16 et lisez.</u>
Et vous ? Faites aussi connaissance.

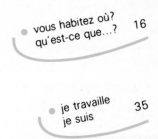

- vous habitez où?
  qu'est-ce que...?   16

- je travaille   35
  je suis

Difficile ? Alors...

donner — une information

demander une information

---

**b 2**  <u>Répétez.</u>

*Vous habitez où ?*

**c 2**  <u>Demandez.</u>

Je suis biologiste.  ⟶ *Qu'est-ce que vous faites ?*
J'habite à Strasbourg. ⟶ *Vous habitez où ?*

**exercice personnel**

<u>5/ Répétez.</u>

Exemple : *Vous habitez où ?*

**d 2**  Ecoutez. Trouvez les questions.

Il est étudiant.  $\longrightarrow$  *Qu'est-ce qu'il fait ?*
Elle travaille à l'hôpital.  $\longrightarrow$  *Elle travaille où ?*

il est
elle travaille  35

**e 2**  Indiquez les annonces Homme (H), Femme (F).

Jeune femme sportive cherche monsieur 30 à 40 ans.  | F |

Monsieur sympathique, sérieux, indépendant cherche compagne pour la vie.  | H |

Belle jeune femme brune, romantique, idéaliste, joyeuse cherche ami.  |  |

Monsieur 32 ans, mince, tendre, blond, très bon recherche jeune femme.  |  |

Ingénieur, grand, mince, beau, 30 ans cherche dame 25 ans.  |  |

25 ans, très douce, brune, mince, simple, romantique et bonne désire rencontrer monsieur 40 ans.  |  |

Homme jeune, gai, intelligent désire rencontrer jeune femme.  |  |

Jeune femme médecin, jolie, blonde désire rencontrer monsieur.  |  |

Célibataire, 45 ans, simple, doux, affectueux cherche la femme de sa vie.  |  |

Dame de 40 ans, riche, divorcée, intelligente cherche monsieur.  |  |

Joyeux célibataire de 40 ans, brun, sensible désire rencontrer jeune fille.  |  |

70 ans mais très jeune, actif, riche, divorcé cherche compagne.  |  |

Ecrivez 5 adjectifs féminins et masculins.

grand
grande  9

F  *brune*     H  *brun*
   *blonde*       *blond*
   *mince*        *mince*
   *joyeuse*      *joyeux*
   ...            ...          Qu'est-ce que vous remarquez ?

**exercices personnels**

6/ Ecoutez (2 fois)
et remplissez la fiche.

Nom : *MURPHY*

Prénom :

Nationalité :

Age : *30 ans*

Profession :

Adresse privée :

Adresse professionnelle :

7/ Mettez au masculin.

- Dame de 40 ans, riche, divorcée, intelligente cherche monsieur.

    ...

- 25 ans, très douce, brune, mince, romantique et bonne désire rencontrer monsieur 40 ans.

    ...

**f2**  Regardez la page 20.
Qu'est-ce que dit A ? B ? C ? D ? E ? ...

**g2**  Trouvez ⟨ les réponses
             ou
             les questions.

Vous allez où ?  → *Au cinéma.*
                  → *Et vous ?*

Où est l'Ambassade ?  → *A droite et tout droit.*
                       → *Quelle Ambassade ?*

1 Vous descendez où ?
2 Qu'est-ce que vous faites ?
3 Vous parlez français ?
4 Vous habitez où ?
5 Vous travaillez à quelle heure ?
6 Où est la station ?

• quel
  quelle  8

**exercices personnels**

8/ Trouvez les questions.

Exemple : Elle est étudiante. ⟶ *Qu'est-ce qu'elle fait ?*

9/ Ecrivez la question.

Exemples : Où est l'Ambassade ? ⟶ *Quelle Ambassade ?*
           Où est le parking ? ⟶ *Quel parking ?*

1 Où est le cinéma ?
2 Où est la station ?
3 Où est la gare ?
4 Où est la pharmacie ?
5 Où est l'hôpital ?
6 Où est le secrétariat ?

**A**

**B**

| | | |
|---|---|---|
| une | bande dessinée | 41 |
| une | banque | 93 |
| un | bateau | 103 |
| | battre | 79 |
| | beau | 30 |
| | beaucoup | 51 |
| avoir | besoin | 67 |
| | bête, − | 59 |
| une | bibliothèque | 121 |
| une | bicyclette | 42 |
| | bien | 37 |
| | bientôt | 67 |
| la | bière | 29 |
| un | bilan | 23 |
| un | billet | 61 |
| | blanc, blanche | 63 |

**C**

## 35 Le présent

| | **avoir** | | **être** | |
|---|---|---|---|---|
| | j' | ai | je | suis |
| | tu | as | tu | es |
| elle, on | il | a | il | est |
| | nous | avons | nous | sommes |
| | vous | avez | vous | êtes |
| elles | ils | ont | ils | sont |

| **apprendre** | **descendre** |
|---|---|
| nous apprenons | → attendre |
| vous apprenez | **dire** |
| ils apprennent | je dis |
| **s'asseoir** | nous disons |
| je m'assieds | vous dites |
| tu t'assieds | ils disent |

**D**

● N'oubliez pas :
le Canada, la France,
le bal, la page _____ regardez grammaire 3 (G 3) d1 et h 1.
un magnétophone, une cassette _____ G 5 et h 1.
Écoutez, répétez _____ G 45.

○ Essayez aussi de :
saluer quelqu'un

**h 2**  Regardez la page 22 A. Qu'est-ce que vous remarquez ?
Trouvez dans le livre des exemples de :
      demander une information
      donner une information.

**i 2**  Regardez la page 22 B. Mettez *le, l', la* devant les noms suivants :

| | | | |
|---|---|---|---|
| entrée | →*l'entrée* | heure d'ouverture | → |
| sortie | → | salle de cinéma | → |
| rue de la Liberté | → | classe de français | → |
| hôtel de France | → | pays des fromages | → |
| tête de station | → | pharmacie du Nord | → |
| magasin de sport | → | table de conjugaison | → |

**j 2**  Regardez la page 22 C. Trouvez la forme verbale.

| | | | |
|---|---|---|---|
| vous faites | → *je fais* | je parle | → ils ... |
| je suis | → il ... | vous allez | → elle ... |
| je comprends | → vous ... | elles descendent | → je ... |
| vous habitez | → j'... | vous écrivez | → il ... |
| nous sommes | → vous ... | je lis | → vous ... |
| vous avez | → tu ... | | |

**k 2**  Regardez la page 22 D.
Où est le bilan des unités 4, 8, 13 ? Et le bilan des unités 5, 10 ?

**exercice personnel**

10/ Trouvez la forme verbale avec *il* ou *elle*.

Exemple : écrire ⟶ *il écrit.*

| | | |
|---|---|---|
| faire | ⟶ | trouver ⟶ |
| être | ⟶ | comprendre ⟶ |
| habiter | ⟶ | lire ⟶ |
| avoir | ⟶ | descendre ⟶ |
| aller | ⟶ | chercher ⟶ |

● N'oubliez pas :
Vous habitez où?
Qu'est-ce que vous faites? _____ regardez G 16, g 2 et exercice
                                                         personnel 9 (ex. pers. 9).

Je travaille, j'habite _____ G 35, j 2 et ex. pers. 10.
Il est grand, elle est grande _____ G 9 et e 2.

💬 Essayez aussi de :
demander une information _____ donner une information

Comment communiquer après 8 heures de français _____ regardez a 2.
Comment utiliser « Cartes sur table » _____ page 12 et page 22.

# 3

UN AVION EXPLOSE
EN VOL    *On ne connaît
pas les causes de l'accident*

**47 %
de Français
ne partent pas
en vacances**

LES OTAGES SONT TOUS
VIVANTS

NE PAS PARLER
AU CONDUCTEUR

*Bergman rentre en Suède*

Une femme entre
à l'Académie française

**FOOTBALL** ▬▬▬▬▬
*La Hongrie perd contre la R.D.A.*

**LA DERNIÈRE
RENAULT**
est au Salon de l'auto de Genève

*LE TRAIN
NE
S'ARRÊTE
PAS
A*

**MARIENBAD**

INDIANAPOLIS :
*le pilote n'est pas mort*

ELLE
N'A
PAS
20 ans

COBRA
727 *ne répond pas*

Elle ne boit pas
Elle ne fume pas
mais elle cause

**a 3** Recopiez les phrases de la page 24. Marquez la négation ( ◯ ).

| Affirmation | Négation (ne ... pas) |
|---|---|
| Un avion explose en vol.<br>... | Elle (ne) fume (pas).<br>Elle (n')a (pas) vingt ans.<br>(Ne pas) parler au conducteur.<br>... |

**b 3** Ecoutez.

ELLE FUME PAS.

Elle ne fume pas.

ne... pas
n'... pas 17

Qu'est-ce que vous remarquez ?

**c 3** Répondez.

Vous venez ? ⟶ *Non, je ne viens pas.*

**exercices personnels**

11/ Exemple :
- rentre - Suède - Bergman - en - ⟶ *Bergman rentre en Suède.*

1 - ne - fumer - pas -
2 - il - treize - pas - ne - a - ans -
3 - anglais - ne - suis - je - pas -
4 - ministre - est - le - aux - Etats-Unis -
5 - ne - je - pas - sais -

12/ Répondez.

Vous venez ? ⟶ *Non, je ne viens pas.*

**d 3**  Ecoutez et regardez la page 26. Indiquez le numéro de 1'image.

Dialogue A : image 2.

**e 3**  Ecoutez et remplissez le tableau.

connus ?

| | 1 | ✗ |
|---|---|---|
| | 2 | |
| | 3 | |
| | 4 | |
| | 5 | |
| | 6 | |

inconnus ?

donner une information — dire qu'on ne sait pas

demander une information

LA GARE, S'IL VOUS PLAÎT ?

C'EST TOUT DROIT.

JE NE SAIS PAS.

OUI, ENTREZ.

JE NE SAIS PAS.

M. LIARDET EST LÀ ?

JE NE SAIS PAS.

**exercices personnels**

13/ Répétez.

14/ Répondez.

Exemple : Il n'est pas ici ?   *Non, il n'est pas ici.*
                                *Si, il est ici.*

1 Vous ne fumez pas ?   *Non, je ...*
                        ...

2 Il n'est pas malade ?   ...
                          ...

3 Vous ne venez pas ?   ...
                        ...

4 Elle n'est pas à 1'hôpital ?   ...
                                 ...

5 Vous n'avez pas le temps ?   ...
                               ...

Ph. Hachette/L. Vidal

# Restaurant du Lion d'or

20, RUE LÉONARD DE VINCI, BLOIS 41000.
TÉL. : 16.54.01.27.36.

| ENTRÉES | | |
|---|---|---|
| | salade de tomates | 8,50 |
| | œuf mayonnaise | 5,50 |
| | pâté de campagne | 11,00 |

| VIANDES | | |
|---|---|---|
| | la côte de porc | 22,50 |
| | le filet de bœuf | 33,00 |
| | le poulet rôti | 25,00 |
| | l'escalope de veau normande | 31,00 |

| POISSONS | | |
|---|---|---|
| | truite aux amandes | 26,00 |
| | filets de sole à la crème | 31,50 |

tous nos plats sont servis avec
légumes :
pommes frites, haricots verts,
ou salade

| FROMAGES | | |
|---|---|---|
| | camembert | 9,50 |
| | yaourt au sucre | 3,50 |

| DESSERTS | | |
|---|---|---|
| | tarte aux pommes | 11,00 |
| | crème caramel | 8,00 |
| | glaces | 10,00 |
| | corbeille de fruits | 7,50 |

| BOISSONS | | | |
|---|---|---|---|
| | eau minérale (1/2) | | 5,50 |
| | jus d'orange | | 6,00 |
| | lait (le verre) | | 4,00 |
| | bière | | 6,50 |
| | vin en carafe | 25 cl | 50 cl |
| | rouge | 4,80 | 9,60 |
| | rosé | 4,80 | 9,60 |
| | blanc | 6,50 | 13,00 |

Service 15 % non compris

**f 3** Au restaurant, comment dire ? Cherchez ensemble.

**g 3** Ecoutez.

**h 3** Ecoutez.

du, de la, des
pas de    27

Le garçon propose :

Du poisson ?
> Vous acceptez : *Oui, d'accord.*
> Vous refusez : *Non, pas de poisson.*

Vous voulez de la viande ?
> *Oui, donnez-moi de la viande.*
> *Non, pas de viande, j'aimerais...*

(Regardez la carte page 28.)

accepter / refuser

proposer

**i 3** Répondez.

Du poisson ? ⟶ *Non, pas de poisson, j'aimerais de la viande.*
De la bière ? ⟶ *Non, pas de bière, je voudrais de l'eau minérale.*

**j 3**  Relevez 5 verbes de la page 24.
Trouvez l'infinitif.

Elle cause. ——→ *causer*

Trouvez l'adjectif.

1 A Paris, un <u>bon</u> restaurant : Le Déclic.
  *Bonne* adresse pour votre voiture : garage Malet.

2 L'Australie : une <u>nouvelle</u> vie.
  Espace, le ... roman de P. Morgan.

3 Bientôt, le <u>Grand</u> Prix de Monaco.
  ... vente de livres chez Drouot.

4 Bali, un parfum <u>magique</u>.
  Rallye, une voiture ...

5 Le Pérou, un pays <u>magnifique</u>.
  La Strada, une plage ...

6 A Noël, louez un <u>petit</u> chalet.
  Faites des économies : roulez dans une ... voiture.

7 La mer, elle est <u>belle</u> aussi en hiver.
  Le téléviseur Truc, il est simplement ...

8 Passez l'hiver dans un pays <u>chaud</u>.
  La mer vous attend ; elle est ...

9 L'homme <u>sportif</u> porte Thalma,
  la femme ... aussi.

**k 3**  Répondez ( **✗** ).

Pouvez-vous :

| | oui | non | |
|---|---|---|---|
| saluer ? | | | *Oui ?* Alors : saluez votre voisin(e). |
| demander une adresse ? | | | demandez l'adresse de votre voisin(e). |
| demander un numéro de téléphone ? | | | demandez le numéro de votre voisin(e). |
| donner une information ? | | | donnez votre adresse à votre voisin(e). |
| proposer ? | | | proposez quelque chose à votre voisin(e). |

*Non ?* Alors regardez pages 9, 15, 17, 21, 29.

**l 3**  Mettez les articles (le, la, l', les).

page ⟶ *la page*

livre ⟶

Canada ⟶

France ⟶

hôtel ⟶

étudiant ⟶

réponse ⟶

légumes ⟶

vin ⟶

clients ⟶

lexique ⟶

Italie ⟶

Etats-Unis ⟶

cinéma ⟶

école ⟶

question ⟶

fromage ⟶

eau ⟶

rues ⟶

**m 3**  Ecrivez la consigne.

Exemple :  *S'il vous plaît, vous répétez.* ⟶ *Répétez, s'il vous plaît.*

**n 3**  Trouvez la question.

● N'oubliez pas :

Elle ne fume pas _____ regardez G 17, a 3 et ex. pers. 14.

Je mange du poisson, de la viande, des légumes _____ G 27 et i 3.

💬 Essayez aussi de :

proposer quelque chose ⟨ accepter / refuser

Comment comprendre oralement _____ regardez e 3.

# 4

Le Pape a fait un voyage en France.

Élections américaines : Reagan a gagné.

Marlène Jobert a eu deux filles.

1980

Découverte en médecine : un savant français a reçu le Prix Nobel.

La reine Elisabeth est allée en Australie.

**a4**  Découvrez le passé.

Il est allé à Tahiti.  Elle est allée en Australie.
    Et vous ?
    Moi, je...

Il a visité Paris.  Elle a visité Canberra.
    Et vous ?
    Moi, je...

Elle était contente.
    Et vous ?
    J'...

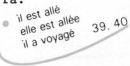

• il est allé
  elle est allée
  il a voyagé    39, 40

• il était
  je lisais    37, 38

**b4**  Lisez.

1  Le Pape est allé en France. ⟶ Il a prononcé un discours.
    ⟶ Il a rencontré le président de la République.
    ↘ Il a prononcé vingt discours.

    Je suis allé à Tahiti. ⟶ C'était bien.
    ⟶ J'étais content.
    ↘ J'ai nagé.

Regardez la page 32. Imaginez et racontez.

2  Reagan  ⟶ Il a ...  4  Un savant français ⟶ ...
    ⟶ Il...    ⟶ ...
    ↘ Il...    ↘ ...

3  Marlène Jobert  ⟶ Elle...  5  La reine Elisabeth ⟶ ...
    ⟶ ...    ⟶ ...
    ↘ ...    ↘ ...

Demandez au professeur. Mimez.

15/ Ecoutez. Quels dessins (A ou B) correspondent au dialogue ?  ✗

# 4

1

2

# SOUVENIRS

3

4

5

7

6

**c4**  Faites correspondre les textes avec les photos.

A Ton père au golf de Deauville. Il adorait le golf.  ☐

B Cette photo, c'est en 1956. Tu es en haut, la première à droite. Tu étais dans la classe de mademoiselle Vieillard.  ☐

C Ça, c'est le départ d'une course de voitures. Mon grand-père conduisait une Peugeot. Il est arrivé troisième.  ☐

D Le mariage de Jacques et Agnès. C'était en 1958. La petite fille devant, à gauche, c'est Céline. Elle avait six ans.  ☐

E Le chien César. C'était un chow-chow. Nous habitions à la campagne. J'étais seule, et César était un merveilleux compagnon.  ☐

F Anvers. C'est ton père et moi. On rentrait de Suède. On a passé huit jours merveilleux à Anvers.  ☐

G Chamonix, on passait toujours les vacances de Noël à la montagne. C'est cette année-là que j'ai commencé à faire du ski.  ☐

Souvenirs... Est-ce que les photos page 34 vous rappellent des souvenirs ?

Anvers... ou Paris... ou New York... ou...
Ski... ou football... ou tennis...
Voulez-vous raconter un souvenir ?

**d4**  Ecoutez.

Mettez une croix ( ✗ )
en face de la réponse correcte.

| Travail ? | | Tourisme ? | |
|---|---|---|---|
| 15 jours ? | | 4 jours ? | |
| Biologie ? | | Linguistique ? | |

**exercice personnel**

16/ Répondez. Donnez une information.

Exemple :
A vingt ans, tu étais amoureux ?  →*Oui, j'aimais... Elle était belle.*
1  ...  , tu avais une voiture ?  →  ...  *C'était une...*
2  ...  , tu étais étudiant ?  →
3  ...  , tu travaillais ?  →
4  ...  , tu habitais où ?  →
5  ...  , tu faisais du sport ?  →
6  ...  , tu avais la télévision ?→

**e 4**   Ecoutez.

**e 4**   Ecoutez.
Vous avez compris ? Bravo !
Vous n'avez pas compris ? Que faire ? Regardez page 36.

Ecoutez maintenant le dialogue. Ecoutez bien, écoutez tout.
Vous avez compris ? Qu'est-ce qu'il jouait ? Quand ?

**f 4**   Ecoutez.

Et vous ? Est-ce que vous voulez aussi vous dire "tu" ?

**g 4**   Complétez.

1 - Nous avons passé huit jours
    en Normandie.
    - ...
    - Oui, c'était formidable.

2 - Je suis allé au cinéma hier soir.
    - ...
    - Non, le film était très mauvais.

3 - J'ai rencontré ton mari.
    - ...
    - Dans le train.

4 - Tiens, j'ai vu ta femme.
    - ...
    - Hier matin.

**exercice personnel**

17/ Regardez la page 32.

- Relevez les expressions de lieu.
Exemple : *en France*
           ...

- En 1980, qu'est-ce qu'ils ont fait ?
Exemples : *Il est allé à Tahiti.*
           *Le Pape a fait un voyage.*
           *Il a ...*

# 4

**h 4**  Trouvez des mots selon le modèle.

la rivoluzione              il socialismo
die Revolution              der Sozialismus
the revolution → *la révolution*    the socialism → *le socialisme*
la revolución               el socialismo

**i 4**  Répétez. Trouvez le mot dans votre langue.

pédagogie - astronomie - ...

**j 4**  Lisez et écoutez.

Karl Marx écrivait le manifeste communiste. Il pensait à la transformation de l'argent en capital, à la lutte pour la journée de travail normale. Depuis quelques semaines, il répétait souvent : "sans consommation, pas de production, sans production, pas de consommation".
Le soir, fatigué, il jouait du violon...

Qu'est-ce que vous avez compris ?
Soulignez ce que vous avez compris.

**k 4**  Trouvez des mots et expressions en français et dans votre langue.

| langue | | restaurant | sport |
|---|---|---|---|
| apprendre | plaisir | c'est bon ! | gagner |
| répéter | voyager | des spaghetti | le football |
| mon livre | | hep ! garçon | jouer |
| c'est facile | j'ai compris | la carte | le tennis |
| c'est intéressant | | | c'est bien |
| je n'ai pas compris | | | |

**exercices personnels**

18/ Répétez.

19/ Regardez la page 44.
Préparez la liste de ce que vous voulez revoir en classe.

N'oubliez pas :
Il est allé à Paris, il a visité la France _____ regardez G 39, G 40, b 4 et c 4.
Il était content _____ G 37, G 38, b 4 et c 4.

Essayez aussi de :
raconter _____ exprimer une opinion

Comment comprendre oralement _____ regardez page 36 et e 4.
Comment apprendre des mots _____ page 38 et k 4.

# 5

RÉSUMÉ Barbara Lanval est veuve depuis quatre ans. Elle élève seule son petit garçon Arnaud. Un matin...

Arnaud !!! Debout, vite !!! Le réveil n'a pas sonné !! Il est 8 heures ...

Vite, vite ! Nous sommes en retard !

Prenons un taxi...

CRASH

ARNAUD ???

Il n'a rien Madame ; il va bien.

Docteur, c'est grave ? Et Arnaud !!!

Ce n'est pas grave et Arnaud va très bien.

COMME ELLE EST BELLE !!!!

Lisez la bande dessinée, pages 40 et 41.

## a 5 Faites correspondre les textes et les dessins (1 = B).

A  Après trois jours de coma, Barbara a ouvert les yeux. Elle a regardé l'infirmière, la chambre...
B  Le matin, Barbara réveillait Arnaud à sept heures. Tous les matins, elle emmenait Arnaud à l'école.
   Ensuite, elle prenait le métro pour aller au bureau. Mais un mardi, le réveil n'a pas sonné.
C  Barbara et Arnaud sont rentrés à la maison.
D  Ce jour-là, il pleuvait, pas un taxi.
E  Barbara n'a pas vu la voiture et... c'est l'accident.
F  Le docteur Grangier passait trois fois par jour. Il était jeune, sympathique et célibataire.
G  Barbara a trouvé le bonheur, le docteur a trouvé l'amour et Arnaud un père.

## Mettez les phrases dans l'ordre et lisez l'histoire.

*Le matin, Barbara réveillait Arnaud à sept heures ...*
*Ce jour-là, ...*

● il pleuvait
  elle est tombée  25, 38, 40

## b 5 Relevez les verbes.

imparfait                          passé composé
*Elle réveillait*                  *Le réveil n'a pas sonné.*
...                                ...

● elle n'a pas vu...  17

**exercice personnel**

20/ Lisez. Soulignez les participes passés. Regardez les terminaisons.
Relevez trois terminaisons différentes.

- Je suis <u>allée</u> à Monte-Carlo. J'ai pris le train. En voiture, c'est
  trop cher.
- Je suis arrivé à Paris. Je suis descendu à l'hôtel du Nord.
- J'ai passé mes vacances à Tahiti. Je suis allé en avion. A Tahiti,
  j'ai fait de la pêche sous-marine.

Terminaisons :
Exemple : *all<u>ée</u>*            1              2              3

# 5

Arnaud, né le 4 Avril 1974. Fils de Barbara

Mon premier anniversaire 4 Avril 1975

ma première luge. Février 1976

Mes premières vacances à la mer. Septembre 1977

Mon premier chien. 4 Avril 1978

Mon premier cahier. Mars 1979

Mes premiers skis. Décembre 1980

**c 5**

Regardez la page 42 et lisez.
Imaginez l'album de Sophie. Ecrivez.

Mes ...

...

...

● mon, ma, mes   6

Qu'est-ce que vous remarquez ?

**d 5**   Complétez.

| Sophie | Arnaud |
|---|---|
| son premier mot à 9 mois. | son premier mot à 10 mois. |
| ... première bicyclette à ... | ... première bicyclette à ... |
| ... premiers skis à ... | ... premiers skis à ... |

a dit

a reçu

Imaginez votre album.

Moi, j'ai dit mon premier mot à ...

Moi, j'ai reçu m...

Moi, j'ai dit mon premier mot à ...

Moi, j'ai reçu m...

jouets / moto / bicyclette / livre / poupée /
...

**exercices personnels**

21/ Répondez.

Exemples : C'est votre fille ? ⟶ *Oui, oui, c'est ma fille.*
C'est votre fils ? ⟶ *Oui, oui, c'est mon fils.*

22/ Est-ce que votre liste est complète ?
Regardez encore une fois la page 44.

● N'oubliez pas :
Elle prenait le métro le matin _____ regardez G 25 et G 38.
Elle a trouvé le bonheur _____ G 25, G 40 et b 5.
Elle n'a pas vu la voiture _____ G 17.
mon fils, ma fille, mes enfants _____ G 6 et d 5.

Comment découvrir une règle de grammaire _____ regardez c 5.
Comment faire le point _____ page 44 et ex. pers. 19.

# 5

**A**   Dans les Unités 1 à 5, vous avez découvert :

- le masculin, le féminin des adjectifs
  le pluriel des noms

  - grand, grande  9
  - le, la, l', les  11, 15
  - un, une, des  5, 27

- l'interrogation
  - et vous?
  - où est...?
    qu'est-ce que...?  16
  - à quelle heure?

- la négation
  - ne... pas  17

- les possessifs
  - mon, ma, mes
    son, sa, ses  6

- les verbes
  au présent
  - elle travaille  35

  au passé composé
  - elle est allée  39
  - elle n'a pas vu...  17

  à l'imparfait
  - il passait  38

  à l'impératif
  - écrivez  45

---

**B**   Vous avez appris comment :

◯ saluer / se présenter

◯ demander une information
  - donner l'information
  - demander une information
  - dire qu'on ne sait pas

◯ proposer
  - accepter
  - refuser

◯ raconter
  - demander une information
  - exprimer une opinion

Vous avez aussi appris à :

- apprendre des mots
- comprendre oralement
- lire en français
- utiliser le manuel

**e 5**  Regardez la liste A, page 44, votre liste page 39, et décidez ce que vous voulez revoir.

Comment faire ?
- demander une explication
- refaire des exercices
- revoir des tableaux de grammaire...

**f 5**  Regardez la liste B, page 44 et les pages 45 à 47.
Choisissez des exercices.

1. Qu'est-ce qu'on dit dans les situations suivantes ?

2. proposer $\Big\langle$ accepter
   refuser

Proposez : - à un ami d'aller au cinéma / il accepte ou refuse.
           - de dire "tu" à votre voisin / il ...
           - à votre professeur d'aller au restaurant / ...

   raconter $\Big\langle$ demander une information
   exprimer une opinion

Racontez : - votre premier jour de cours / ...
           - votre semaine

3. Trouvez des mots français.

rencontre
bonjour
bonheur
rue
...

**4. Ecoutez. Répondez ( ✗ ).**

Qui parle ?  2 hommes ☐   Jacques

              connus ☐   accepte de faire le travail. ☐

            inconnus ☐   refuse de faire le travail. ☐

**5. Ecoutez les prévisions. Indiquez ( ✗ ) la bonne carte.**

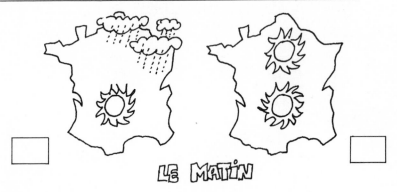

**6. Lisez. Complétez.**

Le matin, Barbara réveillait ... fils à sept heures. ... emmenait
Arnaud à l'... et prenait le métro ... aller au bureau. Mais ... matin,
le réveil n'... pas sonné. Il pleuvait ... il n'y avait ... de taxi.
Barbara n'... pas vu la voiture. ...'est l'accident. La ... et le fils
sont ... l'hôpital. Après trois ..., Barbara a ouvert les ... . Elle a
regardé l'... : "Comment va mon fils ? – ... va bien, madame" répond
...'infirmière. Tous les jours, ...docteur Grangier passait voir ...
malades. Quand ils sont ... à la maison, le ... Grangier est revenu
prendre ... nouvelles. Un mois après, Grangier épousait Barbara.

**7. Pour chaque question, trouvez la bonne réponse.**
**Indiquez le numéro dans la grille.**

| réponse |
|---|
| n° 4 |
|  |
|  |
|  |
|  |
|  |

a. Où travaillez-vous ?

b. Est-ce que ça vous plaît ?

c. Quelle est votre profession ?

d. Qu'est-ce qu'elle fait ?

e. Pardon, monsieur, la gare, s'il vous plaît ?

f. On va au cinéma ?

g. Après les hors-d'oeuvre, qu'est-ce que vous prenez ?

Réponses :
1 Non, pas du tout.
2 Tout droit et à gauche.
3 Où ?
4 A Paris.
5 Du poisson.
6 Je suis biologiste.
7 Elle est secrétaire médicale.

8. Répétez.

9. Trouvez dans le livre :

- l'imparfait du verbe *faire*

- le futur du verbe *avoir*

- le pluriel du mot *oeil*

- les articles des noms suivants :
hôtel - rencontre - profession - restaurant - médecin - mer - taxi -
table - eau - essence - bicyclette - feu.

**exercice personnel**

23/ Choisissez la bonne réponse ☒.

1 Qu'est-ce que vous avez fait aujourd'hui à sept heures du matin ?

   a. J'ai réveillé mon fils. ☐
   b. Il faisait froid. ☐

2 Qu'est-ce que vous faites le matin à sept heures ?

   a. Je dormais. ☐
   b. Je prends mon petit déjeuner. ☐

3 Vous habitiez où ?

   a. J'habite à Paris. ☐
   b. J'ai habité dix ans à Paris. ☐

4 Vous avez compris ?

   a. Excusez-moi, mais je n'ai pas entendu la question. ☐
   b. Je ne comprenais pas. ☐

5 Vous avez visité Paris ?

   a. Non, c'était trop cher. ☐
   b. Non, je ne visitais pas Paris. ☐

moi, je la soigne!

ENREGISTREZ-LE SUR MAGNETOSCOPE

VOUS L'AIMEZ BIEN CUIT? PAS TROP CUIT?

# ON LES VOIT
# ON LES AIME
# ON LES VEUT

SENTEZ-LES RESPIREZ-LES

*c'est l'air de la mer dans votre cuisine*

**On la conduit pour le sport...**

2720 VE 91

**et pour la sécurité!**

**a 6**  Regardez la page 48.
Qu'est-ce que les mots comme le, la, l', les, remplacent ?
Le, la, l', les = pronoms personnels.

le, la, l'
les   11, 15

**b 6**  "Tu connais François ?        - Oui, je le connais."
                                (= Oui, je connais François.)

Dans les phrases suivantes, le pronom personnel remplace quel mot ?

La Citroën CX, vous l'essayez, vous l'emportez.    ——→  l' = Citroën CX.

1 La vie, nous la faisons plus belle.

2 Nos maisons, on les aime.

3 Le lait Bibon, plus bébé grandit, plus il l'aime.

4 Stop aux vilaines mains. Maindouce les rend si belles !

5 Vous ne parlez pas français ? Qu'est-ce que vous attendez pour
  l'apprendre ? la retraite ?

6 Mes enfants, je les aime, je les assure.

**c 6**  Soulignez les pronoms personnels dans les phrases suivantes.

On les voit, on les aime, on les veut. / Essayez-le.

1 Moi, je la soigne.                    6 Embrassez-la.
2 La Bretagne, cet été,                 7 Et le savon de Marseille,
  choisissez-la.                          vous l'utilisez ?
3 Vous ne le reconnaissez pas ?         8 Ne l'achetez pas, louez-la.
4 Sentez-les, respirez-les.             9 Apprenez-le.
5 La Renault 5, on la conduit          10 Vous l'aimez bien cuit ?
  pour le sport.

**d 6**  Remplissez le tableau.

| | | |
|---|---|---|
| Je soigne ma voiture. | ——→ | Je ... soigne. |
| Soulignez les noms. | ——→ | Soulignez-.... |
| J'aime mes enfants. | ——→ | Je ... aime. |
| Vous ne reconnaissez pas votre mari ? | ——→ | Vous ne ... reconnaissez pas ? |
| Vous n'aimez pas le lait ? | ——→ | Vous ne ... aimez pas ? |

**exercice personnel**

24/ Mettez un nom à la place du pronom et récrivez la phrase.

Exemple : Vous les aimez ?    ——→  Vous aimez les fruits ? les chats ?
                                        les enfants ?

1 Mange-la. / 2 Je ne le connais pas. / 3 Je les souligne. /
4 Elle l'écoute. / 5 Ils l'écrivent. / 6 On le remplace par un pronom.

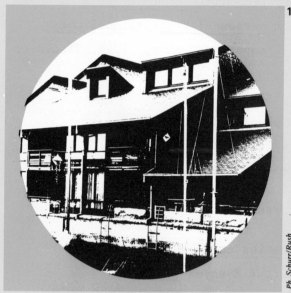

1

2

*Ph. Schurr/Rush*

*Ph. M. Manceau*

## PROFITEZ DES DERNIERES VILLAS
## "PIEDS DANS L'EAU"

3à 4 pièces, garage, tennis,
sports nautiques.

**GARANTIE** **ECONOMIE**

**SECURITE** **CONFORT**

3

4

*Ph. Renault Presse*

Ecoutez.
Ecoutez encore une fois et indiquez le numéro de la publicité correspon-
dante de la page 50.

**f6**    Trouvez des mots français et écrivez-les.

LE TOUR DE FRANCE
UNE ROUE
· · ·

LA VACHE
BON
VITAMINES
· · ·

· · ·

RAPIDE
ÉCONOMIQUE
· · ·

Comparez avec la liste de votre voisin.

**exercices personnels**

⚛ 25/ Ecoutez et notez 5 à 10 mots connus.

26/ Lisez.

C'est dimanche. Il pleut. Qu'est-ce que je peux faire ? Dormir ? Aller
au cinéma ? Regarder la télévision ? Téléphoner à Cécile pour l'inviter
à déjeuner ? Lire, mais quoi ? Sortir ? Rester à la maison ? Ne rien
faire ? Travailler ? Le dimanche, c'est parfois long.

Indiquez ( ✗ ) les phrases qui correspondent au texte.

1 A Paris, il y a beaucoup de spectacles.
2 On peut aussi travailler le dimanche.
3 Cécile est une amie.
4 Qu'est-ce qu'on peut faire le dimanche ?
5 Les programmes de la télévision sont toujours bons.
6 Les cinémas sont chers.

| Phrases | 1 | 2 | 3 | 4 | 5 | 6 |
|---------|---|---|---|---|---|---|
|         |   |   |   |   |   |   |

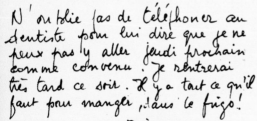

**MONTRÉAL, QUÉBEC, CANADA**
Coup d'oeil vers l'est du Square Dominion
Looking East from Dominion Square.

LES MESSAGERIES DE PRESSE BENJAMIN·MONTRÉAL ENR.
425 Guy·Montréal

*Plastichrome*
COLOURPICTURE
OF CANADA. LTD.
PRINTED IN U.S.A.

POSTES CANADA POST 27 V 1981

CANADA 35
Sans titre no 6
Paul-Émile Borduas

Montréal, le 26.5.81

Ma chère Béatrice
Je suis bien arrivé. Mon très agréable et l'Hôtel Sheraton très confortable...

Mme. Béatrice Cohn
Les Esserts
1531 Chapelle
SUISSE

36 RUE JOUFFROY
PARIS 17

BIEN ARRIVE MONTREAL
HOTEL SHERATON
ANDRE

COL 36 PARIS

SERVICE TELEX

POSTES ET TÉLÉCOMMUNICATIONS    **TÉLÉGRAMME**

4-8 1981 AV. WAGRAM

Daniel,

N'oublie pas de téléphoner au dentiste pour lui dire que je ne peux pas y aller jeudi prochain comme convenu. Je rentrerai très tard ce soir. Il y a tout ce qu'il faut pour manger dans le frigo!

Bisous
Solange

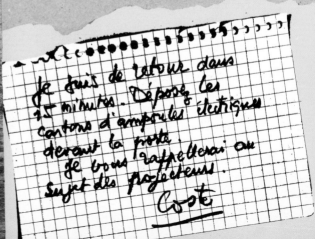

Je suis de retour dans 95 minutes. Déposez les cartons d'ampoules électriques devant la porte. Je vous rappellerai au sujet des projecteurs.

Coste

**g 6**  Lisez la carte postale, page 52.
Relevez individuellement les informations très importantes.
Discutez ensemble vos choix.

Lisez le télégramme.
Qu'est-ce que vous remarquez ?

Lisez. Barrez les mots inutiles et écrivez le texte comme un télégramme.

Mon chéri. Je suis bien arrivée à Marseille. Il fait très chaud. Je
pense beaucoup à toi. J'habite chez les Viney où tu peux m'écrire. Je
t'aime, je t'aime et je t'embrasse. Céline.

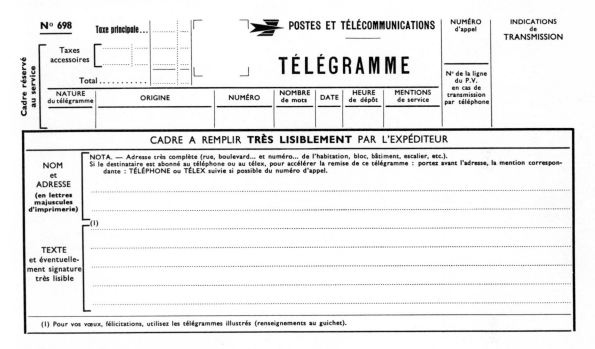

**h 6**  Lisez la règle de grammaire :
L'adjectif qualificatif s'accorde en genre et en nombre avec le nom au-
quel il se rapporte.
Pouvez-vous barrer des mots inutiles ?

**i 6**  Ecoutez et relevez les mots importants.

**exercices personnels**

27/ Lisez les deux derniers textes de la page 52.
Relevez les mots inconnus.
Qu'est-ce que vous faites pour les comprendre ?

28/ Transformez le texte suivant en télégramme.
Supprimez les mots inutiles.

Cher Pascal. J'arrive le mercredi 15 à Montréal. Je descends à l'hôtel
Montroyal. J'aimerais te voir. Peux-tu me téléphoner à l'hôtel ?
Amitiés. Alain.

**j 6** Ecoutez.
Le rêve de Madame Dulac ?

Le rêve de Madame Dulac, c'est une maison à la campagne, confortable,...

**k 6** Lisez le texte 3 page 148.
Relevez les adjectifs.

● grand, grands
grande, grandes 9

décrire ——— demander
une information

**l 6** Décrivez ou dessinez votre maison idéale.

● en ville
au premier 18

## exercices personnels

29/ Lisez les textes 1, 2, 3, page 148 et notez des expressions comme :
*en ville, à Paris*, etc.

30/ Ecoutez et complétez le tableau.

| | à | la campagne |
|---|---|---|
| | | Paris |
| | | rez-de-chaussée<br>premier étage / deuxième étage |
| vivre | | une grande ville<br>une petite ville<br>une grande maison |
| | | ville |

● N'oubliez pas :
Je le connais, je la connais, je les connais, je l'aime _____ regardez G 11, G 15, c 6 et d 6.
A la campagne, en ville _____ G 13, l 6 et ex. pers. 27.

◯ Essayez aussi de :
décrire quelque chose _____ demander une information

Comment trouver les mots importants d'un texte _____ regardez g 6 et h 6.
Comment comprendre oralement _____ i 6.

**a 7** Qu'est-ce que vous avez fait pour comprendre les mots inconnus de l'exercice personnel 30 ?

**b 7** Quel dessin de la page 56 préférez-vous ?
Pourquoi ?

Ecoutez.
Quelle musique aimez-vous ?
Pourquoi ?

Je pense que ...          Moi aussi.
Je trouve que ...         Pas moi.
J'aime mieux ...          Je ne suis pas d'accord.
A mon avis ...            Pourquoi ? ... parce que ...
Pour moi ...              Je suis d'accord avec vous.

**c 7** Ecoutez et indiquez le numéro du schéma correspondant.

dialogue A  ☐          dialogue B  ☐          dialogue C  ☐

S C H E M A S

(1) exprimer une opinion ⟶ désapprouver ⟶ exprimer un sentiment

(2) exprimer une opinion ⟶ approuver

(3) exprimer une opinion ⟶ demander de justifier ⟶ justifier

**d 7** Exprimez votre opinion. Par groupes de deux, choisissez un sujet et suivez un des trois schémas de c7.

- travailler 35, 40, 44 heures par semaine ?
- la femme à la maison ?
  la femme au travail ?
- fumer ? ne pas fumer ?

moi, je... 10
pour moi 13

# Musique

Le concert de l'orchestre philharmonique était d'une qualité exceptionnelle. L'orchestre dirigé par M. Ducamp nous a offert un programme d'une grande richesse musicale. Mme Dang est une violoniste extraordinaire et Olivier Benestram, l'un des meilleurs pianistes d'aujourd'hui.

# SPORTS

Triste match d'ouverture. Le match d'ouverture du championnat d'Europe des Nations a provoqué une vive déception. Cette rencontre a montré la faiblesse de l'équipe néerlandaise.

# NUCLEAIRE

Tous les experts sont d'accord : l'accident de la centrale de Three Miles Island est le plus grave de l'histoire de l'atome. Cet accident doit nous faire réfléchir : l'énergie nucléaire est dangereuse et nous fait courir des risques.

## livres

**a LE NINJA.**

Ce roman américain raconte un conflit entre deux hommes et deux civilisations (la japonaise et l'occidentale).

**b AUTREFOIS, DANS LA VIE.**

Trois nouvelles sur l'enfance d'un petit Européen au milieu des Noirs d'un bidonville de Luanda.

# CINEMA

## a/ Seule dans la nuit

Le film le plus beau, le plus poétique de l'année. Des photos remarquables.

## b/ Je reviendrai

Film drôle, plein d'intelligence. Barry Nelson est extraordinaire.

## c/ Terreur

Un très mauvais film, scénario sans imagination, acteurs de deuxième catégorie.

# THEATRE

## Parking

La pièce, c'est l'histoire d'un petit garçon et d'un gardien de parking, leur amitié. On rit, on pleure. Le petit garçon, Éric Prades, est extraordinaire, naturel, drôle. A voir.

**e 7** Lisez les textes page 58.
Quelle est l'opinion du journaliste ?
*Pour* : + *Contre* : − *On ne sait pas* : ?

| | + | − | ? |
|---|---|---|---|
| 1 | | | |
| 2 | | | |
| 3 | | | |

| | + | − | ? |
|---|---|---|---|
| 4a | | | |
| 4b | | | |
| 5a | | | |

| | + | − | ? |
|---|---|---|---|
| 5b | | | |
| 5c | | | |
| 6 | | | |

**f 7** Répétez.

Exemples : *Le tennis ... sensationnel !*
*Les chats ... j'adore.*
*Je suis fou des Beatles !*

**g 7** Regardez les dessins de la page 56. Pouvez-vous mieux exprimer votre opinion ?

**h 7** Ecoutez et lisez.

"Vous partez quand ?
- On part demain. Et toi ?
- Nous, on part ce soir.
- Tu sais, après une journée de travail, rouler toute la nuit, c'est dangereux, et... tu pars avec cette voiture ?
- Cette voiture, cette voiture, qu'est-ce qu'elle a, cette voiture ?"

Regardez la grammaire numéro 7 et complétez.

• ce, cet, cette
ces                     7

| | | | | | |
|---|---|---|---|---|---|
| Je pars | *cette* | nuit. | Je prends | *ce* | train. |
| Je pars | | soir. | Je prends | | voiture. |
| Je pars | | matin. | Je prends | | avion. |
| Je pars | | après-midi. | Je prends | | valises. |

**exercices personnels**

31/ Mettez les mots dans l'ordre.

1 les / j' / du / adore / moi, / livre / photos /
2 trouvé / film / il / bon / a / très / la / aimé / et / a / musique /il /

32/ Donnez une opinion contraire.

Exemples : J'ai trouvé le film très mauvais.
⟶ *Pas moi, je l'ai trouvé très bon.*
J'ai trouvé les exercices très difficiles.
⟶ *Pas moi, je les ai trouvés très faciles.*

1 J'ai trouvé la pièce très bonne.
2 J'ai trouvé les exercices très faciles.
3 J'ai trouvé le scénario très intelligent. (≠ bête)
4 J'ai trouvé les chansons très bêtes.
5 J'ai trouvé la vie en France très chère. (≠ bon marché)

# demain

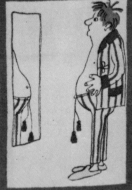

Je ne boirai plus d'alcool

Je ferai de la culture physique

Je ne fumerai plus

Je rangerai tout ça

oui, demain, sans faute !

**i7** Regardez la page 60 et lisez.

Regardez les tableaux de conjugaison du futur, numéro 41.
Comment on forme le futur des verbes : ranger, fumer,
boire, répondre, prendre ?

je mangerai
il ira     41, 42

**j7** Regardez les dessins.
Trouvez ce que dit le deuxième personnage en B.

accepter
ordonner < refuser

Regardez la page 60. Que décidez-vous pour l'avenir ?

*Moi, j'irai au travail à pied.*

ne... plus  17

**k7** Ecoutez. Répondez aux questions :
Ils partent quand ?                    Ils rentrent quand ?
Pour exprimer le futur, on a employé quel temps ?

**exercice personnel**

33/ Répondez.

Exemples :
Tu pars quand ? demain soir ?          ⟶ *Non, ce soir.*
Il arrive quand ? la semaine prochaine ? ⟶ *Non, cette semaine.*

1 Tu pars quand ? demain soir ?
2 Il arrive quand ? la semaine prochaine ?
3 Vous partez quand ? demain après-midi ?
4 Elles viennent quand ? demain matin ?

**17** Regardez la page 62. Imaginez ce que votre voisin aime et fait. Le voisin est d'accord ou pas d'accord.

Et votre professeur ?

**m7** Lisez et complétez.

Un jour, sur la terre, il n'y aura ... de misère. Les femmes, les hommes, ... noirs, les blancs, les jeunes, les ... travailleront ensemble pour créer un monde ... paix et de bonheur. Comment imaginer ... vie ? L'être humain saura profiter de ... nature sans la détruire. Tout le ... mangera à sa faim, s'aimera, ... respectera, s'aidera. Et les voitures, ... trains, les avions, les machines ne ... plus de bruit et ne provoqueront ... d'accidents. Ils ne seront peut-être ... indispensables.

## exercices personnels

34/ Répétez.

Exemple : *Le tennis ... sensationnel !*

35/ Ecrivez les verbes au futur.

| | | | | | |
|---|---|---|---|---|---|
| avoir | → il ... | finir | → elle ... | venir | → nous ... |
| appeler | → elles ... | devoir | → nous ... | aller | → ils ... |
| savoir | → je ... | boire | → je ... | voir | → je ... |
| pouvoir | → nous ... | croire | → vous ... | travailler | → on ... |
| être | → tu ... | dire | → tu ... | vouloir | → vous ... |
| comprendre | → vous ... | mettre | → elle ... | faire | → elles ... |
| porter | → ils ... | vouloir | → il ... | entendre | → elle ... |

N'oubliez pas :
Je laverai la voiture dimanche ———— regardez G 41, G 42, i 7 et ex. pers. 35.
Ce soir, cette nuit, ces valises ———— G 7 et ex. pers. 59.

Essayez aussi de :

exprimer une opinion
- approuver
- demander de justifier
- désapprouver

Comment découvrir la formation des temps des verbes ____ regardez i 7.

# 8

*Le poète a dit :*
*« Moi, j'emporterais le feu »*

**a 8**  Regardez la page 64. Et vous, qu'emporteriez-vous ?

*Moi, j'emporterais mes livres.*
*Moi, je ne prendrais rien ; je laisserais tout.*
...

Imaginez ce que votre professeur sauverait.

*Lui, il sauverait ses cravates.*
*Elle, elle prendrait ses livres.*

**b 8**  Regardez la grammaire numéros 41 et 43.
Cherchez le futur et le conditionnel des verbes suivants.

|            | futur           | conditionnel |
|------------|-----------------|--------------|
| être    → | je *serai*      | je *serais*  |
| avoir   → | tu              |              |
| faire   → | je              |              |
|            | il              |              |
| venir   → | elle            |              |
| sortir  → | tu              |              |
| partir  → | nous            |              |
| finir   → | vous            |              |
| savoir  → | ils             |              |

● j'emporterais    43
il irait

Comment on forme le conditionnel ?

**c 8**  Lisez.

Il a gagné deux millions au Loto :
il a acheté une maison.

Les jeunes ont choisi les métiers
de l'informatique.

Les Belges ont passé leurs vacances
en France.

40 km par jour : pour se rendre à
son travail, elle a choisi la
bicyclette.

Répondez.

Et vous ? Que feriez-vous ?

Et vous ? Quel métier choisiriez-
vous ?

Et vous ? Où iriez-vous ?

Et vous ? Que choisiriez-vous ?

demander une information —— donner une information

JE FERAIS UN VOYAGE.

QUE FERIEZ-VOUS ?

OÙ IRIEZ-VOUS ?

J'IRAIS AU PORTUGAL.

**d 8**  Regardez la page 66. Que remarquez-vous ?

Situation 1 : ...          Situation 2 : ...          Situation 3 : ...

Lisez le dialogue.

A : Oh, Agnès !
B : Catherine ! Bonjour, ça va ?
A : Bien, et toi ?
B : Moi, ça va.
A : Et chez toi ?
B : Ça pourrait aller mieux : Romain a eu un accident de voiture.
A : Grave ?
B : Non, heureusement.
A : Tu as le temps d'aller prendre un café ?
B : Non, je voudrais rentrer tôt.
A : Tu es vraiment pressée ?
B : Oui, je... Excuse-moi, voilà mon bus, je file. Au revoir !
A : Téléphone-moi.
B : D'accord, je te téléphone.
A : A bientôt. Au revoir !

Où est-ce que cette conversation pourrait aussi s'arrêter ?

**e 8**  Regardez la page 66. Trouvez ce que X, Y, Z pourraient dire.

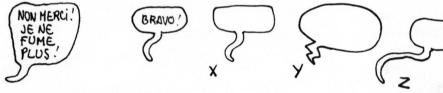

**f 8**  Trouvez ce que Y pourrait dire.

X : Ma femme est malade.          X : Trois jours.
Y : ...                            Y : ...
X : La grippe.                     X : Oui, le docteur est venu.
Y : ...

**exercices personnels**

36/ Répondez.

oui, mais... 31

Exemples : Tu prends le train de six heures ?
          ⟶ *Je le prendrais bien, mais...*
          Tu viens demain soir ?
          ⟶ *Je viendrais bien, mais...*

1 Tu prends le train de six heures ?   4 Tu reviens la semaine prochaine ?
2 Tu viens demain soir ?               5 Tu pars demain ?
3 Tu lis ce roman ?                    6 Tu envoies l'argent demain ?

37/ Complétez les phrases de l'exercice 36 après "mais...".

Exemples : Je le prendrais bien, mais... *c'est trop tôt.* /
          mais... *ça ne va pas.* / mais... *j'ai besoin de dormir.* / ...

**g 8**    Regardez la page 68.
Dans ces situations, qu'est-ce que vous diriez dans votre langue ?

**h 8**    Ecoutez.
Remplissez le tableau. Qui parle ?

| n° | où ? | connus ? | inconnus ? |
|----|------|----------|------------|
| 1 | *match de boxe* | ✗ *2 amis* | |
| 2 | | | |
| 3 | | | |
| 4 | | | |
| 5 | | | |
| 6 | | | |

Exemple :

Ils ont dit d'abord :

On pourrait dire aussi :

exercice personnel

38/ Répétez.

**i 8** Regardez la page 70.

Qu'est-ce qu'on peut encore lire dans la rue ?
Et dans votre pays ?

Exemple :

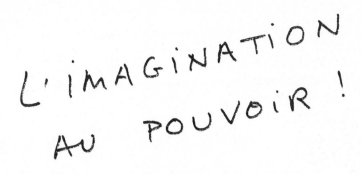

**j 8** Relevez tous les mots qui se rapportent à des personnes.

Exemple :
Ce soir, Claire Doucet, la speakerine de la télévision est d'excellente
humeur. Elle sourit sans cesse. Pierre la regarde avec admiration.

⟶ *Claire Doucet : la speakerine / elle / la*

il, elle 10
le, la, l', les 11, 15

1 Catherine Baugé me téléphone à sept heures. Elle a quelque chose d'im-
portant à me raconter. Catherine est une amie d'enfance. Je la rencontre quelquefois à la sortie du lycée.

⟶ ...

2 Vincent, le fils du boulanger du Rouret, petit village des Alpes
maritimes, a disparu depuis huit jours. Le petit garçon est sorti de
l'école le vendredi à 16 heures avec un camarade. Quand ce dernier
l'a quitté, il se dirigeait vers le centre du village. Depuis,
personne ne l'a revu.

⟶ ...

**exercice personnel**

39 / Regardez la page 70. Comptez des mots inconnus.
Comment les comprendre ?

● N'oubliez pas :
J'emporterais mes livres,
j'irais au Portugal ⎯⎯⎯⎯⎯⎯⎯⎯⎯⎯⎯⎯ regardez G 43 et b 8.

◯ Essayez aussi de :
demander une information ⎯⎯⎯⎯ donner une information

Comment comprendre différents types de textes ⎯⎯⎯⎯⎯⎯ regardez i 8.
Comment mener une conversation ⎯⎯⎯⎯⎯⎯⎯⎯⎯ d 8 et e 8.

**a 9**  Que peut dire A ?

1 *A demande à B.*

- Notre-Dame ?
- Notre-Dame, s'il vous plaît ?
- Pouvez-vous m'indiquer Notre-Dame ?
- Pour aller à Notre-Dame, qu'est-ce que je dois faire ?
- ...

2 *A propose à B.*

- ...
- ...

3 *A ordonne à B.*

- ...

**b 9**  Que peut dire B ?

1 *B donne l'information.*

- Notre-Dame ? Vous continuez tout droit, et puis à gauche.

  *B ne sait pas.*

- ...

2 *B accepte.*

- ...

  *B refuse.*

- ...

  *B exprime un sentiment.*

- ...

3 *B accepte.*

- ...

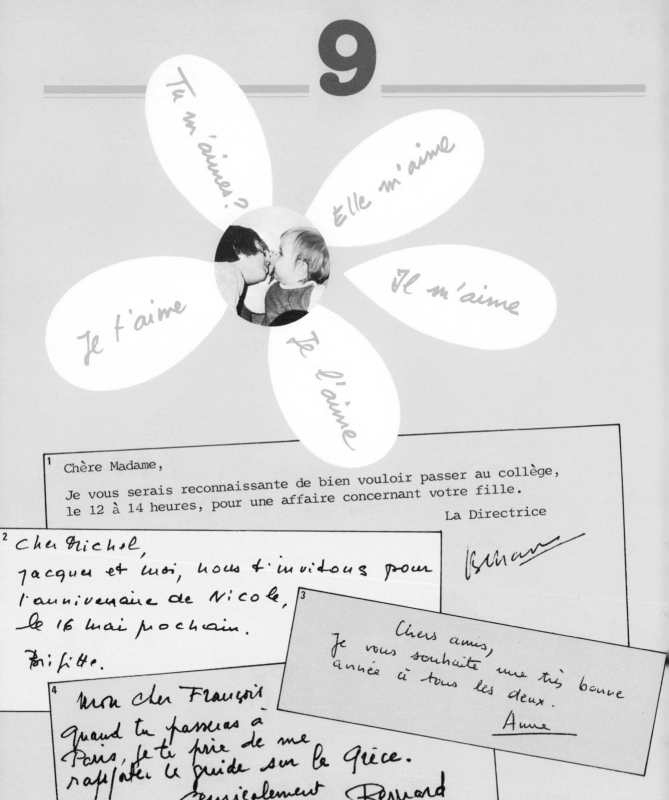

# 9

Ta m'aimes?

Elle m'aime

Il m'aime

Je t'aime

Je l'aime

**1** Chère Madame,

Je vous serais reconnaissante de bien vouloir passer au collège, le 12 à 14 heures, pour une affaire concernant votre fille.

La Directrice

**2** Cher Michel,

Jacques et moi, nous t'invitons pour l'anniversaire de Nicole, le 16 mai prochain.

Brigitte.

**3** Chers amis,

Je vous souhaite une très bonne année à tous les deux.

Anne

**4** Mon cher François

Quand tu passeras à Paris, je te prie de me rapporter le guide sur la Grèce.

Amicalement  Bernard

**5** Mesdames, Messieurs,

Nous vous annonçons que la distribution des prix aura lieu le 27 juin à 9 h 30.

Le Directeur

**c 9** Ecoutéz.
Est-ce que les deux personnes se connais-
sent bien ?

Ecoutez encore une fois.
Pourquoi ?
*Parce qu'elle dit : ...*
        *il  dit : ...*

• je te...
  tu me... 11, 12

Pouvez-vous retrouver, page 74, des expressions du dialogue ?

**d 9** Lisez les textes page 74.
Qui écrit à qui ? Quels mots pour quelles personnes ?

| 1 | *la directrice*<br>*je* | écrit à | *Madame*<br>*vous* |
|---|---|---|---|
| 2 | | | |
| 3 | | | |
| 4 | | | |
| 5 | | | |

• nous vous...
  je vous... 11, 12
  nous te...

**e 9** Répondez.

Enfin, attends-moi.   ⟶   *Oui, je t'attends.*
Enfin, écoute-moi.   ⟶   *Oui, je t'écoute.*

Répondez.

Alors, tu m'attends ?   ⟶   *Mais oui, je t'attends.*
Alors, tu m'accompagnes ?   ⟶   *Mais oui, je t'accompagne.*

**exercices personnels**

40/ Répondez.

Exemples :
Je t'attends à huit heures ?  ⟶  *D'accord, attends-moi à huit heures.*
Je t'accompagne à la gare ?  ⟶  *D'accord, accompagne-moi à la gare.*

41/ Ecrivez 5 à 10 messages pour ordonner de :
téléphoner, attendre, acheter, écrire, envoyer, inviter, ...

Exemples : *Téléphone-moi ce soir.*
           *Attends-moi à huit heures.*

**f9**  Regardez la page 76.

Exemples : *Le Français a la meilleure cuisine.*
*Il aime ...*
*...*

Que pourriez-vous ajouter ?

Et vous, comment voyez-vous votre pays ?

dans mon pays
chez nous
en Espagne   19, 20

Ever wonder why she's smiling?

KOSS stereophones loudspeakers

**9**

Ecoutez et notez.

| recette (*ce qu'il vous faut*) | renseignements (*adresse*) |
|---|---|
| disque (*références*) | conversation téléphonique (*ce que le mari doit faire*) |

Par groupes de deux, comparez vos notes.

🔊 **h 9**   Ecoutez.
Vous aimez ?

**exercices personnels**

42/ Quels pronoms peut-on mettre ? Regardez la grammaire numéros 11 et 12.

Exemple : Je *t*'aime.
           *l'*
           *les*
           *vous*

| Il   ... attendra. | Nous ... battrons. | Elle ... téléphonera. |
| ... | ... | ... |
| Vous ... écrirez. | Tu  ... accompagneras. | |
| ... | ... | |

43/ Regardez la page 76 et trouvez dix mots et expressions sur la France.

● N'oubliez pas :
Je t'aime, tu m'aimes,
nous vous invitons, vous nous écrivez _____ regardez G 11, G 12, G 15, d 9 et ex. pers. 42.

💬 Essayez aussi de :

proposer quelque chose ⟨ accepter
                         refuser

exprimer une opinion
donner une information

Comment réagir dans une conversation _____ regardez a 9 et b 9.
Comment écouter des textes différents _____ g 9.

# 10

**a 10** Ecoutez.

Qu'est-ce que vous faites quand vous ne comprenez pas ?
- arrêter l'enregistrement
- écouter encore une fois
- demander au professeur
- continuer d'écouter.

● elle se lève 14, 35
à six heures 22

Regardez la page 80. Racontez la journée de Mlle Bu.

**b 10** Racontez votre journée.

● j'aimerais 43, 44
je voudrais

**c 10** Est-ce que vous aimeriez changer votre emploi du temps ?

*Moi, j'aimerais dormir plus.*
*Moi, je préférerais travailler*
*plus tôt le matin.*

*Moi, j'aimerais me lever à 10 heures.*
*Moi, je voudrais travailler quatre*
*jours.*

*...*

raconter —— demander une information

# 10

**d 10**   Ecoutez. Relevez des expressions de temps et de lieu.

● à midi
le 14 juillet   22, 23

| temps | lieu |
|---|---|
| *à 6 heures* | *de la maison* |
| *...* | *...* |

● à la gare
au bureau   18, 19

**e 10**   Regardez la page 82. Discutez.

heures de travail dans votre pays
heure des repas
jours fériés
fête nationale

Comparez avec la France et d'autres pays que vous connaissez.

**f 10**   Trouvez les expressions de temps.

Exemple   : *Cette année/le lundi/en avril*, je vais au bureau à pied.

1 ..., j'arrive au bureau à 9 heures.
2 ..., je prendrai mes vacances en juillet.
3 ..., je suis arrivé(e) un peu en retard.
4 ..., notre horaire changera.
5 ..., je ne déjeunais pas.

## exercices personnels

**44/ Répondez librement.**

Exemples :
Vous partez à quelle heure le matin ?   ⟶ *Je pars à ... 7 heures.*
Vous arrivez à quelle heure au bureau ? ⟶ *J'arrive à ... 9 heures.*

**45/ Répondez.**

Exemples :
C'est tout près de chez vous ?   ⟶ *Ah oui, tout près.*
C'est à côté du bureau ?   ⟶ *Ah oui, à côté.*

**46/ Faites par écrit l'exercice f 10.**

● N'oubliez pas :
Je me lève à six heures ——————————————————— regardez G 14 et G 35.
A midi, le 14 juillet ——————————————————— G 22, G 23 et d 10.
A la gare, près de la poste ——————————————————— G 18, G 19 et ex. pers. 45.

○ Essayez aussi de :
raconter ———— demander une information

Comment comprendre oralement ——————————————— regardez a 10.
Comment faire le point ——————————————— pages 84 à 87.

# 10

Répondez par des croix ( ✗ ) aux onze questions suivantes.

1. a) Ecoutez.

Comment avez-vous compris le texte ?

facilement

difficilement

je ne l'ai pas compris

b) Est-ce que les personnages par-
laient trop vite ? oui ☐ non ☐

2. a) Imaginez que vous voyez un incendie.

Est-ce que vous pourriez, plus tard,
raconter l'événement ?

oui ☐ non ☐

b) Si oui, quels temps utiliserez-
vous, surtout ?

présent

imparfait

passé composé

futur

3. Est-ce que vous pourriez décrire votre appartement ?

Réfléchissez à ce que vous pourriez dire.

4. Est-ce que vous pourriez exprimer votre opinion sur ce dessin ?

oui ☐ non ☐

5. Imaginez qu'un Français visite votre ville. Il ne parle pas un mot
de votre langue.

Est-ce que vous pourriez :

|  | oui | non |
|---|---|---|
| a) lui indiquer un bon hôtel | | |
| b) lui donner des informations sur vous | | |
| c) l'interrompre et lui demander de parler plus lentement | | |
| d) l'inviter à manger au restaurant | | |
| e) lui expliquer ce que vous avez commandé au restaurant | | |
| f) lui donner rendez-vous à une heure et à un endroit précis | | |
| g) lui donner des informations sur ce qu'il doit visiter | | |

6. Est-ce que vous comprenez les questions qui vous sont posées

actuellement      facilement ? ☐   difficilement ? ☐

Si c'est "difficilement", pourquoi ?

7. Vous êtes assis dans le train en face d'une personne.

Est-ce que vous pourriez commencer
à lui parler ?    oui ☐   non ☐

Réfléchissez à ce que vous pourriez
lui dire.

8. Est-ce qu'il vous arrive de ne pas comprendre votre professeur ?

oui, très souvent

oui, souvent

oui, mais rarement

non, jamais

Qu'est-ce que vous faites quand vous ne le comprenez pas ?

9. Est-ce que vous pouvez trouver rapidement dix mots par rapport à
_la faim_, comme pour le mot _profession_ ?

oui ☐ non ☐

Si oui, donnez-les.

10. Lisez. Est-ce que vous pouvez comprendre le sens des mots soulignés ?

a) "Le boulanger de la rue de Rome, lui, il fait
le meilleur pain et chez lui, la baguette est
à un franc."　　　　　　　　　　　　　　　oui ☐　non ☐

b) "Paul t'a téléphoné ?
- Oui, il m'a passé un coup de fil ce matin."　oui ☐　non ☐

c) "Tu veux un peu de Roquefort ?
- Non merci.
- Mais regarde comme il est beau ! Ça,c'est
du fromage."　　　　　　　　　　　　　　oui ☐　non ☐

11. Regardez le numéro 43 de la grammaire.

oui ☐　non ☐

Est-ce que vous avez l'impression de pouvoir
utiliser les formes présentées dans les tableaux ?

Ensemble, discutez chaque question
et calculez le nombre des réponses de la classe.           ou | 7 |
                                                              | 10 |

1. a) facilement        ☐    1. b) oui    ☐    non    ☐
      difficilement     ☐
      je ne l'ai pas compris  ☐

2. a) oui    ☐    non    ☐    2. b) présent       ☐
                                    imparfait     ☐
                                    passé composé ☐
                                    futur         ☐
                                    conditionnel  ☐

3.    oui    ☐    non    ☐    4.    oui    ☐    non    ☐

5. a) oui    ☐    non    ☐    5. e) oui    ☐    non    ☐
   b) oui    ☐    non    ☐       f) oui    ☐    non    ☐
   c) oui    ☐    non    ☐       g) oui    ☐    non    ☐
   d) oui    ☐    non    ☐

6.    facilement      ☐    7.    oui    ☐    non    ☐
      difficilement   ☐

8.    oui, très souvent    ☐    9.    oui    ☐    non    ☐
      oui, souvent         ☐
      oui, mais rarement   ☐
      non, jamais          ☐

10. a) oui    ☐    non    ☐    11.    oui    ☐    non    ☐
    b) oui    ☐    non    ☐
    c) oui    ☐    non    ☐

Qu'est-ce que vous aimeriez revoir ? Proposez et décidez ensemble.

# 11

**a 11** Regardez les personnages de la page 88.
Donnez une note (de 0 à 3) à chacun.

| très sympathique | 3 | | antipathique | 1 |
| --- | --- | --- | --- | --- |
| sympathique | 2 | | très antipathique | 0 |

A ☐ B ☐ C ☐ D ☐ E ☐ F ☐ G ☐ H ☐ I ☐ J ☐

Exprimez votre opinion sur les personnages et justifiez-la :

*Je trouve B sympathique (antipathique)*
*parce qu'il a l'air gentil (méchant).*

• le, la, l', les 11, 15

Dites avec qui vous aimeriez :

- faire un voyage
- travailler
- vous marier
- faire une expédition en Alaska

Dites qui vous choisiriez comme :

- patronne/patron
- docteur
- infirmière/infirmier
- professeur
- secrétaire
- avocate/avocat

• avocat, avocate
directeur, directrice 1

exprimer / approuver
une opinion / désapprouver
justifier

JE TROUVE QU'IL EST SYMPATHIQUE, IL RIT TOUT LE TEMPS.

AH ÇA, C'EST VRAI, IL EST SYMPA.

VOUS LE TROUVEZ SYMPATHIQUE ? MOI, PAS.

IL EST DÉSAGRÉABLE. QUEL CARACTÈRE !

ÉPOUVANTABLE! IL EST ÉPOUVANTABLE

MAIS NON, IL EST TIMIDE, C'EST TOUT!

**b 11** Ecoutez et répondez.

Exemple : J'adore la mousse au chocolat. Et vous ?
⟶ *Oh oui, j'adore !*
⟶ *Moi pas.*

**exercice personnel**

47/ Répondez.

Exemples : Il est professeur ? ⟶ *Non, c'est sa femme qui est professeur.*
Il est infirmier ? ⟶ *Non, c'est sa femme qui est infirmière.*

# 11

Regardez la page 90. Que font-ils ? Ils parlent des autres.

Ecoutez et remplissez le tableau.

| Dialogues | Qui parle ? | A qui ? | De qui ? |
|-----------|-------------|---------|----------|
| n° 1 | *un homme* | *à sa femme* | *de Bertrand d'un ami* |
| n° 2 | | | |
| n° 3 | | | |
| n° 4 | | | |
| n° 5 | | | |

Ils parlent des autres : que disent-ils ?

exercice personnel

48/ Répondez.

Exemples : Est-ce que Nicole change de travail ?
       ⟶ *Elle m'a dit qu'elle changeait de travail.*
      Est-ce que Pierre vient à Paris ?
       ⟶ *Il m'a dit qu'il venait à Paris.*

1 Est-ce que Marianne se marie bientôt ?
2 Est-ce que Jacques va à Nice ?
3 Est-ce qu'Alexandre va mieux ?
4 Est-ce que Sophie part au mois de mars ?
5 Est-ce que François déménage ?
6 Est-ce que Marc vient cette semaine ?

## PIERRE ROULIN, CAISSIER

Le 15 octobre, comme tous les matins, à 7 heures précises, Pierre a ouvert les yeux. À côté de lui, Claire, sa femme, dort encore. Il a fait les gestes de tous les matins : il s'est levé, il a ouvert les rideaux, il a regardé par la fenêtre et il a préparé le café, puis il s'est dirigé vers la salle de bains. Sa toilette achevée, il a jeté un dernier coup d'œil au miroir qui lui a renvoyé l'image de Pierre Roulin, caissier à la banque de Paris, 46 ans, marié, père de deux enfants. Tout à coup, il s'est approché du miroir. Là, à gauche, au-dessus du front, des cheveux blancs. Pierre ne bougeait plus. Vieux, il était vieux.

« Tu n'écoutes pas les nouvelles? »
Claire est là, debout derrière lui et le regarde.

« Non.
– Tu n'as pas réveillé les enfants?
– Si. »
Pierre avale une troisième tasse de café et écoute distraitement. Comme tous les matins, au petit déjeuner, c'est la même conversation :

« Finis ta tartine.
– J'ai pas faim.
– Prends tes vitamines. Récite-moi encore une fois ta poésie. »
Et la radio... les élections, le boeing détourné, l'augmentation du prix de l'essence, le chômage. Et sur sa tête, là, les cheveux blancs.

« Au revoir, à ce soir. »
Il pleut. Paris est gris, humide, sale. Pierre, de loin, a reconnu Moreau à l'arrêt de l'autobus. Moreau travaille dans la même banque que lui. Parfois, ils prennent l'autobus ensemble. Moreau ne l'a pas vu. La journée a commencé, pareille à celle d'hier, pareille à celle de demain avec les nouvelles, Moreau, bientôt la banque, le guichet n° 10 et ainsi jusqu'à la retraite.
À la banque, le guichet n° 10, fermé, attirait tous les regards.

« Vous avez vu, Roulin n'est pas là.
– C'est la première fois qu'il est en retard.
– S'il n'est pas là, c'est qu'il est malade.
– Sa femme n'a pas téléphoné?
– Je ne sais pas. »
À 10 heures, les collègues de Pierre Roulin ont compris qu'il se passait quelque chose d'anormal. C'est à 10 h 15 que Ballard qui occupe le guichet n° 9 a décidé d'informer le chef de service. Rêveusement, Monsieur Doucet, chef de service, regarde sa secrétaire téléphoner. Roulin... un homme précieux qui n'hésitait jamais à rester le soir, toujours à l'heure, travailleur. Monsieur Doucet pensait qu'il ne savait rien de cet employé modèle. La secrétaire le regardait.

« Alors?
– Mme Roulin ne comprend pas, son mari est parti à 7 h 45 comme tous les matins.

## PIERRE ROULIN, CAISSIER

– Il ne lui a rien dit?
– Non.
– Elle n'a rien remarqué de spécial?
– Elle ne m'en a pas parlé.
– Il a peut-être eu un accident, tout simplement. À 11 heures, appelez la police et tenez-moi au courant. »
À midi, les derniers clients quittaient la banque. Le guichet n° 10 était toujours fermé. Roulin n'était pas arrivé.

**d 11**   Lisez silencieusement.
Résumez l'histoire à l'aide du tableau suivant.

• dans la rue
à l'arrêt   18, 19

• au petit déjeuner   22, 23
le matin

Le 15 octobre, comme tous les matins ...

Dans la salle de bains, ...

Au petit déjeuner, ...

Dans la rue, à l'arrêt du bus, ...

A la banque, ...

A 10 heures, ses collègues ...

La secrétaire téléphone et ...

A midi, ...

**e 11**   Par groupes de trois, devinez la suite.
Chaque groupe présente son histoire.

**exercices personnels**

49/ Lisez la page 92 et classez les événements suivants dans l'ordre où ils se sont produits.
Indiquez le numéro.

1 Ballard a décidé d'informer le chef de service.
2 Pierre a ouvert les yeux.
3 La secrétaire a téléphoné à Madame Roulin
4 Il s'est levé et il a regardé par la fenêtre.
5 Pierre avale son café et écoute la radio.
6 Le guichet n° 10, fermé, attirait tous les regards.

| 2 |   |   |   |   |   |
|---|---|---|---|---|---|

50/ Quels renseignements pouvez-vous donner sur Pierre Roulin ?

*Pierre Roulin est marié, il ...*

## PIERRE ROULIN, CAISSIER

– Il ne lui a rien dit?

– Non.

– Elle n'a rien remarqué de spécial?

– Elle ne m'en a pas parlé.

– Il a peut-être eu un accident, tout simplement. À 11 heures, appelez la police et tenez-moi au courant. ».

À midi, les derniers clients quittaient la banque. Le guichet n° 10 était toujours fermé. Roulin n'était pas arrivé.

L'idée de faire le trajet avec Moreau était insupportable à Pierre. Le bus arrivait. Sans réfléchir, Pierre est entré dans le petit café qui fait le coin. Assis au bar, il regardait passer le bus qui emmenait Moreau. Peu de temps après, il a vu sortir sa fille, elle se dirigeait en courant vers le métro. Voilà, il allait prendre le métro, il serait un peu en retard mais cela le changerait de ce trajet en bus qu'il faisait depuis 10 ans.

C'est en traversant la rue du Banquier qu'il s'est décidé à prendre sa voiture. Il pleuvait de plus en plus et Pierre avait oublié son imperméable. 8 h 20, bah ! il arriverait à 9 h 30. Pour une fois...

Au premier feu rouge, devant lui, arrêtée, une voiture immatriculée 13. 13, Marseille. Marseille... Pierre ferme les yeux, il se souvient de cette petite plage à une vingtaine de kilomètres de Marseille. Elle s'appelait comment, cette plage? le Paradou? le Pistou? Marseille, est-ce qu'il pleut à Marseille? Est-ce qu'on se baigne le 15 octobre à Marseille? Devant lui, la Renault immatriculée 13 a pris l'avenue du Général Leclerc. Il la suit. Porte d'Orléans. Autoroute du Soleil. Au bout de l'autoroute, Marseille.

Bientôt la pluie s'est arrêtée. À midi, après avoir roulé sans interruption, Pierre décide de quitter l'autoroute et de chercher un restaurant. Il fait beau.

C'est en fin de journée qu'il a retrouvé la plage. Les villas sont fermées. Les bistrots sont déserts. Quelques retraités se promènent. La plage est là, déserte, à lui seul. Avec les touristes, les enfants, les chiens, les parasols, les ballons ont disparu. La mer... il ne l'a jamais vue ainsi, verte, sombre. Pierre s'est allongé sur le sable humide. Il n'a pas entendu le vieux monsieur arriver. Il marche lentement. Pierre le regarde marcher, ils se sont salués, c'est tout, sans se parler davantage, sans parler du temps qu'il fait, du boeing détourné, des élections...

Pierre s'est levé, il s'est avancé vers la mer. À quel âge est-on vieux? Est-il vieux? Combien de temps est-il resté là, immobile, à regarder la mer? J'ai 46 ans, qu'est-ce que j'ai fait de ma vie?

Là-bas à Paris, la journée s'achève. Pressés dans le métro, dans les autobus, bloqués aux feux rouges, serrés dans les ascenseurs, les Parisiens rentrent chez eux sous la pluie.

Quelques-uns diront ce soir : « Je t'ai parlé de Pierre Roulin, mon collègue? Il a disparu, c'est incroyable, un homme comme lui. »

**f 11**  Lisez la suite de l'histoire page 94.
Quelle fin donnez-vous à cette histoire ?

● elle dort     35, 36
ils ont compris  39, 40
elle regardait   37, 38

**g 11**  Complétez la grille.

| A Paris | Sur la plage |
|---------|--------------|
| *Il pleut.*<br>... | *Des retraités se promènent.*<br>... |

## exercices personnels

**51/ Répondez.**

Exemples : Si on suivait cette voiture ? → *Tu crois ? On la suit ?*
Si on prenait le métro ?  → *Tu crois ? On le prend ?*

**52/ Mettez le verbe à l'infinitif, au passé composé.**

| | |
|---|---|
| Exemple : L'eau était trop froide ; Pierre *ne s'est pas baigné.* | ne pas<br>se baigner |
| 1 Pierre et le vieux monsieur ... | se saluer |
| 2 Ils ... à sept heures. | se réveiller |
| 3 Pierre a préparé le petit déjeuner. Claire ... | ne pas se lever |
| 4 A midi, il ... au restaurant. | s'arrêter |
| 5 Il faisait beau, ils ... sur la plage. | se promener |

● N'oubliez pas :
Je le trouve sympathique _____ regardez G 11 et G 15.
Elle dort encore _____ G 35, G 36 et f 11.
Il pleuvait _____ G 37, G 38 et f 11.
Il a retrouvé la plage _____ G 39, G 40 et f 11.

◯ Essayez aussi de :
donner une information _____ exprimer une opinion

Comment comprendre un texte écrit _____ regardez d 11.

**a 12**   Lisez.

*Au garage*

Bonjour / monsieur / madame / mademoiselle /.
Je voudrais / 10 / 20 / 30 / 40 / litres d'essence / normale / super /,
s'il vous plaît.
Faites-moi le plein, s'il vous plaît.
Pour cent francs, s'il vous plaît.
Vérifiez / le niveau d'huile / l'eau du radiateur / l'eau de la batterie/.
Voulez-vous contrôler la pression des pneus, s'il vous plaît ?

*A la poste*

Une lettre pour / l'Angleterre / l'Allemagne / le Japon / le Brésil /,
c'est combien, s'il vous plaît ?
Je voudrais un timbre à / 1,40 F / 2 F / 3 F /, s'il vous plaît.
Deux timbres à deux francs, s'il vous plaît.
Par avion, s'il vous plaît.
Recommandée / exprès /.
Je voudrais envoyer un télégramme / en Angleterre /
au Japon / en Amérique /, s'il vous plaît.

● je voudrais   43, 44
  j'aimerais

● au Japon
  en Amérique   19

*A la pharmacie*

J'ai mal / à la tête / au ventre / aux pieds / aux dents /.
Je voudrais quelque chose contre la douleur.
Avez-vous quelque chose contre les coups de soleil ?
Je me suis brûlé / le pied / la jambe / le bras /.

*A la douane*

Oui, j'ai quelque chose à déclarer.
J'ai / du parfum / du chocolat / du beurre /.
J'ai / une bouteille de champagne / trois bouteilles de vin /.
Non, je n'ai rien à déclarer.

**b 12**   Apprenez par coeur les phrases d'une situation, au choix.

Ecoutez.
Est-ce que savoir des phrases par coeur suffit pour se débrouiller ?

**c 12**   Ajoutez des éléments à la phrase de départ et comparez vos réponses.

Exemple : a) *Je voudrais*
          b) *Je voudrais un timbre*
          c) *Je voudrais un timbre à deux francs.*

● du, de la, des   27
  en

1 J'ai acheté .../ 2 ... + .../ 3 ... + ... + .../ 4 ... + ... + ... + ...


exercice personnel

53/ Complétez.

Il est ... Japon. J'habite ... France. Ils sont ... Etats-Unis. Elle est
restée ... Italie ? Nous passerons l'été ... Canada. Elle est ... Suède.

# 12

**d 12**   Ecoutez.

1 A la banque      2 Dans la rue      3 Au garage      4 A la pharmacie

Vous n'avez pas compris ? Qu'est-ce que vous pouvez faire ?
Par exemple : demander d'écrire, demander de répéter, ...

vous en prenez deux 29

**e 12**   Ecoutez.

Vous voyez : on peut toujours demander à l'autre de parler plus lentement.

**f 12**   Lisez. Relevez les informations indispensables.

**Indications :**
Rhinites et pharyngites congestives, allergiques et saisonnières (coryza, rhume des foins).

## POSOLOGIE ET MODE D'EMPLOI

Les doses à utiliser et la durée du traitement sont variables selon les cas. Il est donc nécessaire de se conformer aux prescriptions du médecin traitant. La dose habituelle sera de 2 à 3 comprimés par jour à avaler sans mâcher, ni croquer, ni écraser. Il est préférable de prendre les comprimés avant les repas.

**Emploi réservé aux adultes.**

**exercice personnel**

54/ Transformez les phrases selon l'exemple.

Exemple : Non merci, je n'en veux pas.
            *Je te dis que je ne veux pas de glace.*

1 Non merci, j'en ai assez.        Je te dis que j'ai ...
2 ...                              Je te dis que je ne prendrai plus
                                   de vin.
3 Non merci, je n'en veux plus.    ...

*Il pleut*

il pleut des voix de femmes comme si elles étaient mortes même dans le souvenir

c'est vous aussi qu'il pleut merveilleuses rencontres de ma vie ô gouttelettes

et ces nuages cabrés se prennent à hennir tout un univers de villes auriculaires

écoute s'il pleut tandis que le regret et le dédain pleurent une ancienne musique

écoute tomber les liens qui te retiennent en haut et en bas

SOUS
LES
PAVÉS

LA
PLAGE

Apollinaire, *Calligrammes*, Gallimard.

AU REVOIR

3 TIMBRES

MERCI

UN VERRE
D'EAU

DONNEZ-MOI

TOUT DROIT

ENCHANTÉ

OÙ EST...?    J'AIMERAIS    JE VOUDRAIS    COMPOSTEZ    INTERDIT    S'IL VOUS PL

<u>Ecoutez.</u>
<u>Lisez.</u>

*Il pleut*

Averse averse averse averse averse averse
pluie ô pluie ô pluie ! ô pluie ô pluie ô pluie !
gouttes d'eau gouttes d'eau gouttes d'eau gouttes d'eau
parapluie ô parapluie ô paraverse ô !
paragouttes d'eau paragouttes d'eau de pluie
capuchons pèlerines et imperméables
que la pluie est humide et que l'eau mouille et mouille
mouille l'eau mouille l'eau mouille l'eau mouille l'eau
et que c'est agréable agréable agréable
d'avoir les pieds mouillés et les cheveux humides
tout humides d'averses et de pluie et de gouttes
d'eau de pluie et d'averse et sans un paragoutte
pour protéger les pieds et les cheveux mouillés
qui ne vont plus friser qui ne vont plus friser
à cause de l'averse à cause de la pluie
à cause de l'averse et des gouttes de pluie
des gouttes d'eau de pluie et des gouttes d'averse
cheveux désarçonnés cheveux sans parapluie

R. Queneau, <u>Les Ziaux</u>, Gallimard.

<u>Relisez et écoutez.</u>
Relevez dans ce texte des mots et expressions en rapport avec l'eau.

*averse, pluie, il pleut, ...*

Lisez, écoutez.

*Le pont Mirabeau*

Sous le pont Mirabeau coule la Seine
              Et nos amours
Faut-il qu'il m'en souvienne
La joie venait toujours après la peine

G. Apollinaire, <u>Alcools</u>, Gallimard.

**exercice personnel**

55/ a) Dans le texte suivant, remplacez les symboles par les mots
équivalents.

| | |
|---|---|
| *Le temps demain :* Au début, le temps sera très ○. | ○ clair, ensoleillé |
| Il y aura même des ↰ dans le sud. | ↰ orages |
| En fin d'après-midi, le temps sera ● puis | ▽ averses |
| des ▽ se produiront durant la nuit. | ● couvert-nuageux |
| Jeudi, encore des ▽ accompagnées de ⟍. | ⟍ vents |

b) Essayez de donner les prévisions météorologiques pour :

mercredi : ○ ↰          jeudi : ● ▽          vendredi : ▽ ⟍ ○

Ph. Almasy

Ph. Almasy

Ph. Gabel

Ph. Esaias Baitel

Ph. Boiffin-Vivier/Rush

Ph. Almasy

**i 12**  Qu'est-ce qu'on peut faire avec l'eau ?

nager                          du pain
se laver                       ...
regarder
écouter
...
...

**j 12**  Qu'est-ce qu'un(e)   peut faire   d'un(e)

1 poisson                           1 parapluie
2 plongeur                          2 bateau
3 nageur                            3 fontaine
4 sirène                            4 bouée
5 marin                             5 imperméable
6 crevette                          6 fleuve
7 huître                            7 carafe
8 commandant                        8 robinet
9 pêcheur                           9 bouteille
0 requin                            0 tonneau

Choisissez un chiffre dans chaque colonne.
Exemple : 71
Qu'est-ce qu'une huître peut faire d'un parapluie ?
Essayez de répondre.
Continuez le jeu.

ne... pas → de 27
ne... pas → le, la, l' 17

**k 12**  Répondez.

Exemples : Tu veux de l'eau minérale ?
⟶ Non merci, je n'aime pas l'eau minérale.
Et si tu buvais un jus d'orange ?
⟶ Non merci, je n'aime pas le jus d'orange.

**exercice personnel**

56/ Répondez.

Exemples : Tu veux de l'eau minérale ?
⟶ Non merci, je n'aime pas l'eau minérale.
Et si tu buvais un jus d'orange ?
⟶ Non merci, je n'aime pas le jus d'orange.

N'oubliez pas :
Je n'en veux plus _____ regardez G 27 et ex. pers. 54.
Vous en prenez deux _____ G 29.
Je ne bois pas d'eau   Je n'aime pas l'eau _____ G 17, G 27 et ex. pers. 56.

Essayez aussi de :

demander de faire ⟨ accepter
                    refuser

Comment se débrouiller dans des
situations courantes _____ regardez a 12, b 12.
Comment lire un texte poétique _____ g 12.

# 13

**a 13** En petits groupes, choisissez une activité (fête, soirée) que vous aimeriez organiser ensemble.
Chaque groupe propose son activité.
La classe choisit l'activité à organiser.

**b 13** Organisez l'activité choisie.

Comment ?          – Que faire pour préparer l'activité ?
                     louer une salle, ...

Qui ?              – Qui fait quoi ?
                     Pierre réserve la salle, ...

Quand ?            – Quand organiser l'activité ?
                     le ...

Où ?               – Où l'organiser ?
                     à l'école, ...

Combien ?          – Combien coûtera l'activité ?
                     ...

Avec qui ?         – Est-ce que d'autres personnes seront invitées ?
                     ...

- combien?
  comment?
  quand?          16

- je réserverai
  nous ferons     41, 42

**exercice personnel**

57/ Lisez et remplissez le tableau.

*Des activités pour tous.*

1 Samedi 16, 18 h 30, un concert de musique ancienne à Notre-Dame.

2 Pour les enfants, un spectacle de marionnettes à la salle Wagram.
Du lundi 18 au vendredi 21.
A 17 heures.

3 Dimanche, une randonnée à bicyclette dans Paris. Départ : 8 h du matin sous la tour Eiffel.

| n° | quoi ? | où ? | quand ? |
|----|--------|------|---------|
| 1  |        |      |         |
| 2  |        |      |         |
| 3  |        |      |         |

Monsieur et Madame Gaudois     Monsieur et Madame Blanc
sont heureux de vous faire part du mariage de leurs enfants

Véronique et Hubert

et vous prient d'assister ou de vous unir d'intention à la messe qui sera
célébrée le Samedi 27 Juin 1981, à 15 h 30,
en l'Église Sainte-Jeanne d'Arc (Place du Vieux Marché à Rouen).

206, rue du Cherche-Midi, 75006 Paris
20, rue Pierre Corneille, 76000 Rouen

---

*la galerie claudine planque a le plaisir de
vous inviter au vernissage de l'exposition*

**maurice perrenoud sculpteur**

le mercredi 11 mars dès 17 h. en présence de l'artiste
escaliers-de-billens (angle cheneau-de-bourg) exposition

du 11 mars au 11 avril 1981    ouvert de 14 h. à 18 h. 30 (samedi de 10 h. à 17 h.)

1, escaliers-de-billens (angle cheneau-de-bourg)    1003 lausanne, tél. 23 69 54

---

SOIREE CASINO DU JUMP H.E.C.
CENTENAIRE H.E.C.
AVEC LES CROUPIERS DU CASINO D'ENGHIEN
(NOMBREUX LOTS A GAGNER)

VIRGINIA VEE
ORCHESTRES, JAZZ, SPECTACLES, DISCO NON STOP.
AU CHATEAU DE JOUY-EN-JOSAS
VENDREDI 15 MAI A PARTIR DE 21 HEURES.
BARS GRATUITS, CHAMPAGNE OFFERT PAR HENRIOT.

...ENUE DE SOIREE. PLACE 150 F (ETUDIANTS 100 F). 3 FNAC.

---

VAL PARISOT          Patrick ROSEN
13990 FONTVIEILLE    Marguerite VISSE
Téléphone (90) 97.77.95    TISSERANDS

seraient heureux de vous présenter leurs derniers travaux

DU VENDREDI 24 AVRIL AU SAMEDI 9 MAI 1981

A LA GALERIE CHAPO

14, Boulevard de l'Hôpital PARIS V^me — Tél. 331.23.18 — Métro Gare d'Austerlitz

La galerie d'exposition est ouverte tous les jours de 11 h. à 19 h. sans interruption
(Fermé le dimanche et le 1er Mai)

**c 13**  Annoncez ce que vous proposez :
- Imaginez une affiche.
- Rédigez une invitation officielle.
- Ecrivez une petite lettre
  à un(e) ami(e), au directeur, à la secrétaire de l'école, etc.

## exercice personnel

58/ Choisissez dans le tableau suivant une ou deux activités et, par écrit, proposez à quelqu'un de vous accompagner.

| quoi ? | où ? | quand ? |
|---|---|---|
| match de rugby | stade de Colombes | dimanche, 15 h. |
| "Les jours de la vie" | cinéma "Le Capitole" | samedi, 19 h. |
| jazz | Métropole | jeudi, 20 h. |
| dîner ensemble | restaurant "Chez Françoise" | jeudi, 19 h 30 |

**NORMANDIE** La Normandie offre ses nombreuses plages de sable et ses stations balnéaires. Les hivers sont doux, les étés un peu humides. Ne pas manquer de visiter Rouen, ville-musée, Caen. Vacances reposantes et gastronomiques : pays des fromages, du célèbre camembert et des poissons (sole normande); cuisine à la crème.

**PARIS** A Paris, le touriste pourra visiter les musées (le Louvre), flâner sur les quais de la Seine. Le soir, il aura le choix entre les théâtres, les cinémas, les concerts et les cabarets. S'il veut s'échapper de la capitale, Versailles, Fontainebleau, Chartres sont à deux pas. Paris, où il ne fait jamais ni très chaud ni très froid, est beau en toutes saisons. Paris n'offre pas que le « steak-pommes-frites », mais la cuisine de toute la France y est proposée.

**BOURGOGNE** S'il fait un peu froid en hiver, les étés chauds et secs favorisent la culture de la vigne; la « Route du Vin » propose les grands crus célèbres : Pommard, Gebrey-Chambertin, Vosne-Romanée. Ces vins peuvent accompagner une cuisine riche et abondante : escargots, volailles, bœuf bourguignon,... Dijon est une ville d'art. Cluny, Vézelay et bien d'autres merveilles de l'art roman attendent le touriste.

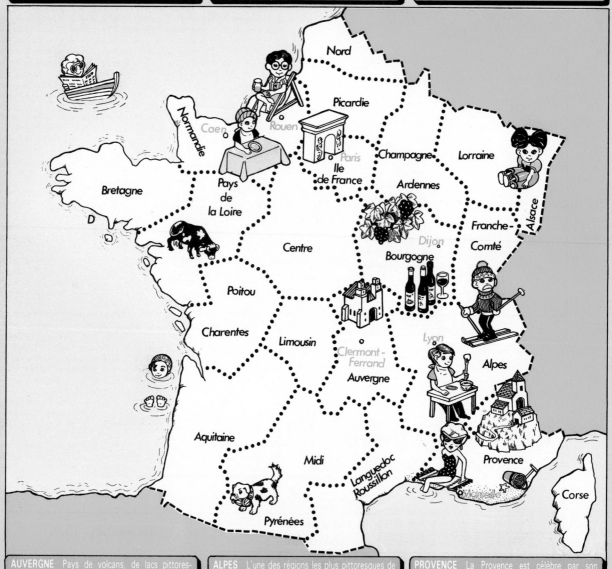

**AUVERGNE** Pays de volcans, de lacs pittoresques, de forêts, l'Auvergne est riche en sources thermales. Région idéale pour des vacances saines dans la nature. Ne pas manquer la visite du Puy et de sa célèbre cathédrale romane. Le climat est un peu froid au-dessus de 700 m. La cuisine est simple, traditionnelle : potée auvergnate, soupe aux choux,...

**ALPES** L'une des régions les plus pittoresques de France. Paradis des skieurs, des alpinistes. Nombreuses stations d'été et de sports d'hiver. Mont Blanc, Dent du Midi, parc naturel de la Vanoise. Climat rude en hiver. Nombreuses spécialités gastronomiques : fondue, charcuterie.

**PROVENCE** La Provence est célèbre par son climat ensoleillé aux hivers très doux, aux étés chauds. On y pratique tous les sports balnéaires. Si la Côte est envahie par les touristes, l'arrière-pays offre de nombreuses curiosités : villages perchés, châteaux, musées. Festival d'Avignon (théâtre), d'Aix-en-Provence (musique). Parmi ses spécialités culinaires, la bouillabaisse, l'aïoli, la ratatouille.

**d 13** Lisez les informations sur des régions touristiques de la France, p. 109.

Que faire si vous ne comprenez pas ?
- Demander à votre professeur          - Chercher dans un dictionnaire
- Deviner                              - ...

Relevez les caractéristiques de chaque région.

| Régions → | ALPES | PROVENCE | AUVERGNE | NORMANDIE | PARIS | BOURGOGNE |
|---|---|---|---|---|---|---|
| *climat* | | | | | | |
| *cuisine* | | | | | | |
| *activités* | | | | | | |
| *curiosités* | | | | | | |
| *avantages* | | | | | | |

**e 13** Choisissez la région où vous aimeriez passer vos vacances. Justifiez votre choix.

● parce que...
à cause...  33

**f 13** Ecoutez différents accents français.

## exercices personnels

59/ Répondez.

Exemples :
On pourrait faire un pique-nique.          → *Oh ! moi, les pique-niques ...*
On pourrait organiser un bal masqué. → *Oh ! moi, les bals masqués ...*

60/ On vous propose une activité. Refusez et justifiez.

Exemple : invitation à un bal          → *Non, je ne sais pas danser.*
                                       → *Non, je n'aime pas danser.*

1 invitation à un dîner                3 promenade à bicyclette
2 exposition de peinture moderne       4 match de football

13

1

2

3

4

5

**g 13**  Regardez la page 110.
Quel pays représente chaque photo ?

1 ⟶ *Grèce*                     4 ⟶
2 ⟶                            5 ⟶
3 ⟶

Choisissez quelques régions touristiques de votre pays et remplissez la grille (voir d 13).

| Régions ⟶ | |
|---|---|
| *climat* | |
| *cuisine* | |
| *activités* | |
| *curiosités* | |
| *avantages* | |

Comparez vos réponses.
Vous avez choisi quelles régions ?
Vous avez proposé quelles activités ?
. . .

**h 13**  Trouvez des mots et expressions.

climat

*doux*
*chaud*
. . .

curiosités

*grottes*
*château*
*zoo*
. . .

● N'oubliez pas :
Combien ça coûtera? _____ regardez G 16 et b 13.
Qu'est-ce que nous ferons? _____ G 41, G 42 et b 13.
Parce que c'est sympathique _____ G 33.

◯ Essayez aussi de :
⎧accepter
proposer⎨exprimer un sentiment
⎩refuser _____ demander de justifier _____ justifier

Comment trouver les informations
importantes d'un texte _____ regardez d 13.

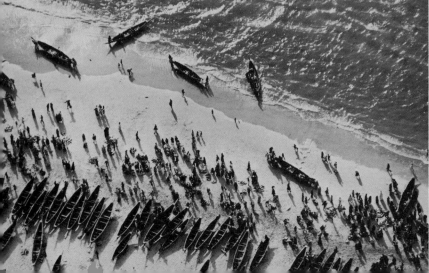

**a 14**  Devinez le nom des pays représentés page 112.
Connaissez-vous d'autres pays où l'on parle français ?
Regardez la page 10.

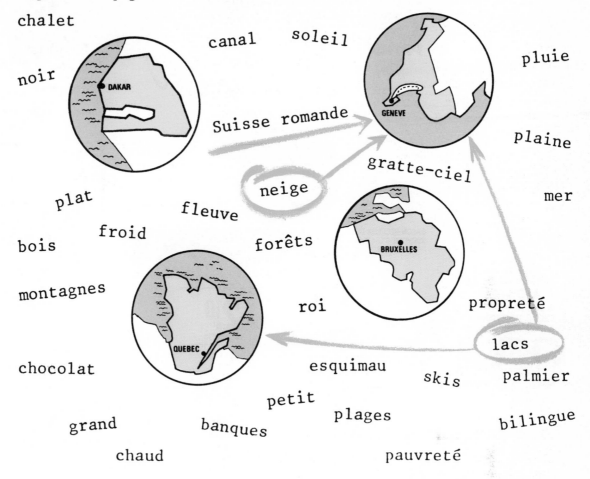

chalet

canal    soleil

noir

pluie

Suisse romande

plaine

gratte-ciel

mer

plat

neige

fleuve

froid

forêts

bois

montagnes

roi

propreté

chocolat

lacs

esquimau    skis    palmier

petit

plages

bilingue

grand    banques

chaud    pauvreté

Associez mots et pays.
Cherchez ensemble d'autres mots pour chacun des pays.

au Québec
à Dakar  19, 20

**b 14**  Regardez les mots pendant vingt secondes. Fermez le livre. Ecrivez le
plus de mots possible. Comparez vos résultats.

exercice personnel

61/ Complétez.

Exemple : *En* Belgique, on parle le français et le flamand.

1 ... Canada est un grand pays.
2 ... Paris, il y a beaucoup de musées.
3 ... Suisse, il y a quatre langues officielles.
4 Nous retournerons ... Québec, cet été.
5 La conférence internationale aura lieu ... Genève ou ... Bruxelles.
6 ... Suisse se compose de vingt-sept cantons.
7 ... Sénégal, le tourisme se développe de plus en plus.
8 J'ai passé un an ... Dakar.

## PAINS

Petit blanc – Petit gris – ou
Petit blanc sans sel, 400 g _____ **16**
Petit cramique, 400 g _____ **26**
Craquelin, 450 g _____ **46**

*Ramequins au fromage* **3,60**

**MAÏS EN CRÈME**
Canada de choix
**2/79¢**
bte 19 oz

### PÂTES ALIMENTAIRES
macaroni coupé, rotini, spaghetti, spaghettini
**98¢**
cello 1 kg

Jambon paysan
kg _395_ **350**

Langue de bœuf
fumée kg _380_ **335**

Grignette
fromage au lait cru
kg _314_ **280**

Passendale
fromage des prés 40 %
kg _240_ **218**

**\*ROSBIF DE CÔTES CROISÉES**
roulé
**1.68**
**lb**

**BACON RÉGULIER OU SOUPÇON D'ÉRABLE**
tranché sans couenne
500 g **1.78**

**CARBONNADES DE BŒUF/RUNDS-STOOFVLEES**
Kg _208_ **168**
(du/van 10/9 au/tot 12/9)

**VENEZ DÉGUSTER NOS DÉLICIEUSES MOULES**
TOUS LES VENDREDIS
LA BELLE PORTION ± 1 kg
+ POMMES FRITES
**145**

**Spätzli**
300 g
_2.60_ **2.10**
(100 g –.70)

**MARINADES SUCRÉES MÉLANGÉES**
bocal 750 ml **1.58**

*Saucisse aux choux* **6.—**

**RADIS EN FEUILLE**
DU QUÉBEC
2 paquets pour **35**

*Saucisson neuchâtelois* **8.—**

**POMMES DE TERRE FRITES**
surgelées/coupe régulière
sac 3½ lb
**1.49**

**GAUFRES DE LIÈGE**
8 pièces
480 g _36_ **30**

**SAUCISSE FUMÉE**
**49¢**
lb

*Fromage à raclette de Bagnes* **24.—(1kg)**

*Gruyère* **15.—(1kg)**

**RHUBARBE**
DU QUÉBEC
paquet
6 × 3 **1.99**

**LAITUE EN FEUILLES**
légumes du Québec chaque
**.29**

*Filets de perche* **22.—(1kg)**

**Tarte Breugel** _95_ **79**

**c 14**   Regardez la page 114.

A quel pays correspond chaque annonce ? Pourquoi ?
De quel pays viennent ces différents produits ?

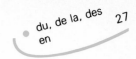

du, de la, des   27
en

**d 14**   En 1981

quinze, vingt-six...   26

100 francs français ≃    17 dollars

≃ 5000 francs CFA

≃    36 francs suisses

≃   714 francs belges

=   ... de la monnaie de votre pays

En 1981, en France,

   un paquet de cigarettes peut coûter... 5 F.

   un kilo de viande (boeuf)... 70 F.

une paire de chaussures pour messieurs... 450 F.

   une voiture... 35 000 F.

moins que...   30
plus que...

⋅⋅⋅ Et dans votre pays ? Comparez.

**e 14**   Regardez la page 114 et composez un "menu francophone".

# 14

**Ecoutez.**

Première conversation

1 D'où vient ce monsieur ?
2 Est-ce qu'il regrette son pays ?
3 Est-ce qu'il rentrera bientôt dans son pays ?
4 Est-ce que c'est plus facile de voyager en Europe que dans son pays ?

Deuxième conversation

1 Est-ce que cette femme est heureuse à Paris ?
2 Est-ce qu'elle a visité la France et Paris ?
3 Est-ce qu'elle a fait la connaissance de beaucoup de Français ?
4 Qu'est-ce qui lui manque le plus ?

Troisième conversation

1 Est-ce que cette dame regrette son pays ?
2 De quel pays vient-elle ?
3 Est-ce qu'elle a rencontré beaucoup de Français ?
4 Est-ce qu'il y a une grande différence entre son pays et la France ?

**g 14** Essayez de trouver quelques différences entre ce que vous lisez et écoutez.

| On écrit : | A l'oral, on dit : |
| --- | --- |
| 1 Je voudrais bien.<br>  – Et vous ne regrettez pas trop la Belgique ?<br>  – Oh, vous savez, la Belgique n'est pas bien loin. | *1 Je voudrais bien.* |
| 2 Ah, vous ne trouvez pas une différence de mentalité ? | |
| 3 De mentalité, peut-être si ... encore, il y a encore une petite différence. | |
| 4 Il y a autre chose à Paris, beaucoup, beaucoup d'autres choses, cet esprit un petit peu de clocher, un petit peu villageois, on le retrouve très facilement en Belgique. | |
| 5 A Paris, ce n'est pas la même chose. | |
| 6 Enfin, Paris est une grande ville, je n'ai pas besoin de vous le dire. | |

# 14

**Quel texte va avec chaque pays ?**

1 Badara exhiba un billet de mille francs qu'il tendit aux griots :
"Pour vous acheter des Rolas." Le chef s'en empara, le fixa sur son
boubou, comme une médaille ; faisant les cent pas, il déclama, à tue-
tête, des éloges à Badara.

2 Il s'agit maintenant pour l'homme de remonter en traîneau. De revenir
sur la terre ferme, au plus vite. De discerner la ligne de partage de
la neige, entre la terre et le fleuve gelé.

3 Je me rappelle les eaux noires du lac, les sapins verts, le troupeau
qui descendait boire jusqu'au bord pierreux, tu entrais pieds nus dans
l'eau glacée, puis nous allions nous asseoir au café, à côté des petites barques, parmi les mangeurs de framboises et de crème du pâtura-
ge, nous regardions le vent du soir soulever des milliers de petites
vagues argentées comme des couteaux hors de la surface.

(textes extraits de "Littérature de langue française hors de France", Sèvres, FIPF, 1976.)

Canada : texte n°...       Suisse : texte n°...    Sénégal : texte n°...

Est-ce qu'il est nécessaire de comprendre tous les mots pour répondre ?

## exercices personnels

**62/ Ajoutez les éléments manquant aux phrases suivantes.**

1 Pour quelle raison ... êtes venue ... Paris ? - ... mes études.
2 Je suis à Paris ... 1966. Je suis très heureuse d'être ... France et
je ... regrette pas ... Belgique.
3 Je suis à Paris ... faire de la recherche ; je ... que c'est très intéressant.

**63/ Répondez.**

Exemples : Il y a encore du sucre ? ⟶ *Non, il n'y en a plus.*
           Il n'y a plus de lait ? ⟶ *Si, il y en a encore.*

**64/ Lisez les conversations page 152. Trouvez qui aurait pu dire :**

1 A Paris, je me sens très seule. Ma famille me manque beaucoup.
2 Paris me plaît beaucoup mais j'ai envie de découvrir d'autres pays.
3 Je ne pense pas rentrer dans mon pays.

● N'oubliez pas :
A Paris, au Sénégal, en Belgique _____ regardez G 19, G 20 et ex. pers. 61.
J'aimerais de l'eau, du jambon _____ G 27.
Dans mon pays, c'est plus cher _____ G 30 et d 14.

◯ Essayez aussi de :
exprimer un sentiment

Comment comprendre oralement _____ regardez f 14 et g 14.
Comment comprendre un texte écrit _____ g 14 et h 14.

| | | |
|---|---|---|
| **SEMAINE DU CINÉMA FRANÇAIS** | Projections et débats chaque jour à 19 h 30 dans le Grand Auditorium | jeudi 8 : Marcel Carné, Les Enfants du Paradis (1945) |
| | lundi 5 : Georges Méliès, Voyage dans la lune (1902) | vendredi 9 : Jean-Luc Godard, A bout de souffle (1959) |
| | mardi 6 : Raymond Bernard, Le Miracle des Loups (1924) | samedi 10 : Jacques Rivette, L'Amour fou (1968) |
| **5 - 10 OCTOBRE** | mercredi 7 : Jean Renoir, La Règle du Jeu (1939) | Versions originales, sous-titrées. |

## Radio france Internationale

**VERS L'AFRIQUE**

17 heures 30 d'émissions

**VERS L'AMÉRIQUE DU NORD ET LES ANTILLES**

5 heures d'émissions

**VERS L'EUROPE DU CENTRE ET DE L'EST**

15 heures d'émissions

en ondes courtes

▲ Institut ou centre culturel
● Etablissement de recherche
■ Etablissement scolaire

**LES ÉTABLISSEMENTS FRANÇAIS DANS LE MONDE**

**a 15** Répondez au questionnaire. Indiquez quatre motifs dans l'ordre d'importance.

Exemple : *2, 7, 5, 8.*

• parce que... 33

J'apprends le français :

1 parce que j'en ai besoin dans ma profession. ☐

2 parce que j'ai l'intention de travailler dans un pays francophone. ☐

3 parce que j'en ai besoin pour mes études. ☐

4 parce que j'ai l'intention d'étudier dans un pays francophone. ☐

5 parce que j'ai l'intention de faire un voyage dans un ou des pays francophone(s). ☐

6 parce que l'un de mes proches est francophone. ☐

7 parce que savoir le français fait partie de la culture générale. ☐

8 parce que ça me fait plaisir. ☐

9 pour occuper mon temps libre. ☐

Motifs : ☐ ☐ ☐ ☐

Par groupes, recherchez les moyens vous permettant de continuer de pratiquer le français dans votre ville ou dans votre région.

| | | où les trouver ? | complétez après e 15 |
|---|---|---|---|
| quels moyens ? | journal livres ... | | |
| quelles personnes ? | Français(e) journaliste francophone ... | | |
| quelles institutions ? | Institut français Alliance française ... | | |

**exercice personnel**

65/ Cherchez quels sont vos moyens de continuer à apprendre le français.

- Connaissez-vous une ou plusieurs personnes parlant français ?
- Trouvez le titre d'un ou plusieurs journaux français.
  Où pouvez-vous les trouver ?
- Dans votre ville, pouvez-vous acheter des livres français ? Où ?
- Cherchez à la radio une émission de langue française. A quelle heure ?
- Donnez l'adresse d'une ou deux institutions françaises.

# 15

**b 15**  Regardez page 11, c 1.
Etes-vous toujours d'accord avec votre choix du début ?

pour mes études 34

|          | oui | non |
|----------|-----|-----|
| études   |     |     |
| profession |   |     |
| tourisme |     |     |
| plaisir  |     |     |
| famille  |     |     |
| ...      |     |     |

exprimer
un sentiment

approuver
désapprouver

**c 15**  Qu'est-ce qui a changé depuis le début du cours ?

- dans votre vie privée ?
- dans votre groupe ?
- dans votre vie professionnelle ?

- dans votre ville ?
- dans votre pays ?
- en France ?
- dans le monde ?

mieux que...
plus que...
aussi que... 30

**d 15**  Lisez et complétez.

Dernièrement, au cours d'... voyage, je me suis ... dans la ville où
...'ai passé une partie ... mon enfance.
Autrefois, Audricourt ... une toute petite ville ... 4 000 habitants
environ. Aujourd'hui, ...'ai devant moi une ... inconnue : de larges
avenues ... remplacé les petites rues ... conduisaient à la place ...
l'église. La vieille ... est toujours là mais ... se dresse au milieu
...'une mer de voitures, ... place a été transformée ... parking.
Je cherche la ... école où j'ai ... quatre ans et qui ... trouvait à
l'extrémité ... la place.
"L'école, ... école ? Il n'y ... jamais eu d'école ... cette place",
me répond ... jeune femme à qui ... demande ce que l'... est devenue.
Je ne ... rien. La vieille librairie ... nous achetions nos livres ...
nos cahiers a fait ... à un grand supermarché, ... boulangerie n'existe
plus.
... me sens une inconnue ... cette ville où j'... tant de souvenirs et
... n'ai même pas ... de revoir le quartier ... j'habitais ; la maison
... son grand jardin ont ... disparu, remplacés par des ... ou des
tours de ... étages.

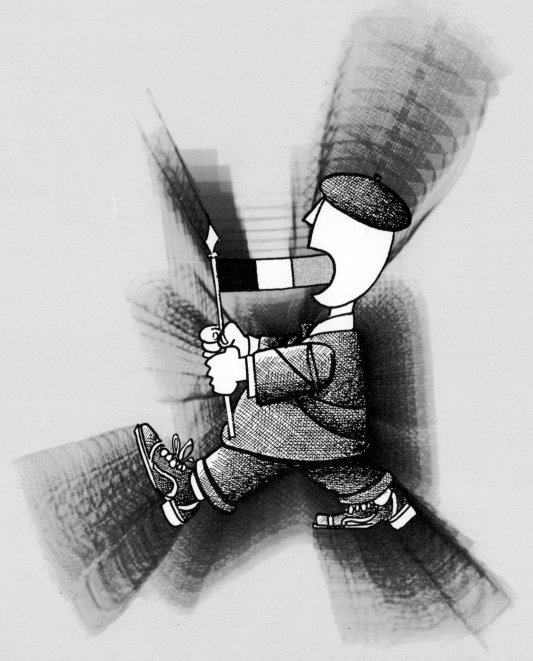

PLANTU

**e 15** Complétez la grille page 121 avec les renseignements que vous avez trouvés.

**f 15** Donnez votre opinion personnelle.
Comparez les résultats. Donnez l'opinion du groupe.
Colonne 1 = d'accord/Colonne 2 = je ne sais pas/Colonne 3 = pas d'accord.

| | opinion personnelle | | | opinion du groupe | | |
|---|---|---|---|---|---|---|
| | 1 | 2 | 3 | 1 | 2 | 3 |
| 1 Les Français savent bien parler. | | | | | | |
| 2 J'ai eu de la peine à apprendre le français. | | | | | | |
| 3 J'aimerais avoir pour époux(se) un(e) Français(e). | | | | | | |
| 4 Le français n'est pas une langue très difficile. | | | | | | |
| 5 J'ai appris assez de français. | | | | | | |
| 6 Pour bien savoir le français, il faut connaître beaucoup de mots. | | | | | | |
| 7 Je suis sûr(e) de continuer à apprendre le français dans un cours. | | | | | | |
| 8 Ma langue maternelle est plus belle que le français. | | | | | | |
| 9 Dans ma ville, il n'y a aucune possibilité d'utiliser le français. | | | | | | |
| 10 Comprendre le français est plus important que le parler. | | | | | | |
| 11 Savoir conjuguer des verbes est indispensable. | | | | | | |
| 12 Pour lire un journal français, je suis obligé(e) d'utiliser un dictionnaire bilingue. | | | | | | |
| 13 On ne parle français qu'en France. | | | | | | |
| 14 Les Français parlent mal les langues étrangères. | | | | | | |
| 15 J'aimerais continuer à apprendre le français de la même façon. | | | | | | |

Exemple :  1

| 7/22 | 5/22 | 10/22 |
|---|---|---|

signifie que dans un groupe de 22 apprenants, 7 ont été d'accord avec la question 1, 5 ne savaient pas et 10 n'étaient pas d'accord.

exercice personnel

66/ Trouvez des réponses possibles.

Exemple :

Pourquoi pars-tu si tôt ?  *Parce que j'ai un rendez-vous à 8 heures.*
 *Parce que je prends le train à 8 heures 30.*

1 Pourquoi tu ne manges pas ?
2 Pourquoi apprends-tu le français ?
3 Pourquoi tu ne prends pas de vacances ?
4 Pourquoi tu ne parles pas ?
5 Pourquoi tu ne viens pas avec moi ?

ET MAINTENANT? ET MAINTENANT?

**g 15**  Supposez : Vous ne pouvez garder que 20 pages du manuel.
Lesquelles choisissez-vous individuellement ? Discutez les différents
choix.

Et maintenant, qu'est-ce qu'on fait ?

*Et si on répétait le verbe être ?*

*ÉCOUTONS...*

*ON VA BOIRE UN VERRE ?*

*J'aimerais lire le texte...*

*moi, je veux rentrer.*

*CHANTONS...*

*Trouvons les mots importants du texte...*

● N'oubliez pas :
Je suis plus heureux que l'année dernière _____ regardez G 30.
Pour mes études _____ G 37 et b 15.
Parce que j'en ai besoin _____ G 33, a 15 et ex. pers. 66.

💬 Essayez aussi de :

approuver

exprimer une opinion

désapprouver

Comment continuer à apprendre le français _____ regardez page 120, a 15 et e 15.

**exercice personnel**

67/ Lisez le texte. Barrez (./.) les mots étrangers au texte.

Moyens pour continuer à apprendre le français.

Exemples : Lire des amis en français.
          Il n'est pas obligatoire de comprendre tous les pays.

1 Jeter régulièrement un journal français.
2 Essayer de lire des personnes parlant français.
3 Aller au cinéma voir des médicaments français.
4 Perdre à la radio des émissions en langue française.
5 Refaire les menus personnels de "Cartes sur table".
6 Saluer les textes de "Cartes sur table".
7 Dans un texte, relever cinq verbes, apprendre les discussions de ces
  verbes dans la grammaire.
8 Tous les jours, calculer le sens de cinq mots.

# Grammaire

## 1 Le nom
masculin/féminin

| masculin | | féminin |
|---|---|---|
| un secrétaire | | une secrétaire |
| un ami | + e | une ami**e** |
| le coiff**eur** | (eur) → **euse** | la coiff**euse** |
| le direct**eur** | (eur) → **trice** | la direc**trice** |
| un infirmi**er** | (er) → **ère** | une infirmi**ère** |

## 2 Le nom
singulier/pluriel

| singulier | | pluriel |
|---|---|---|
| une page | + s | des page**s** |
| le repas | → | les repas |
| un cheveu | + x | des cheveu**x** |
| un oiseau | + x | des oiseau**x** |
| la croix | → | les croix |
| un journ**al** | (al) → **aux** | des journ**aux** |

**Devant un nom**

le
un
mon } livre
ce
quel

## 3 L'article défini

| masculin | pluriel | féminin |
|---|---|---|
| **le  l'** → | **les** ← | **la  l'** |
| **le** nom | **les** noms | |
| | **les** pages | **la** page |
| **le** hall | **les** halls | |
| | **les** hauteurs | **la** hauteur |
| **l'**exemple | **les** exemples | |
| | **les** années | **l'**année |
| **l'**hôtel | **les** hôtels | |
| | **les** heures | **l'**heure |

Devant un nom commençant par **a, e, i, o, u,** et parfois **h :**
**le** et **la** → **l'**   (l'hôtel, l'heure).

## 4 à + article défini

| **(à + le)** → **au** | **à + la** → **à la** |
|---|---|
| Pierre est **au** cinéma. | Anne est **à la** maison. |
| Conjuguez le verbe **au** passé composé. | Ouvrez le livre **à la** page 12. |

**(à + les)** → **aux**

| | |
|---|---|
| Je vais **aux** États-Unis. | Elles sont **aux** Iles Canaries. |
| Conjuguez le verbe faire **aux** temps du passé. | Ouvrez le livre **aux** pages 12 et 16. |

## de + article défini

| **(de + le)** → **du** | **de + la** → **de la** |
|---|---|
| La page 30 **du** livre. | Le numéro 4 **de la** grammaire. |

| | |
|---|---|
| Elle arrive **du** Portugal. | Elle arrive **de la** Martinique. |

**(de + les)** → **des**

| | |
|---|---|
| La terminaison **des** verbes. | Le numéro **des** cassettes. |

| | |
|---|---|
| Elle revient **des** États-Unis. | Il arrive **des** Antilles. |

**à + l'** → **à l'** (Il est **à l'**hôtel.)
**de + l'** → **de l'** (Il revient **de l'**école.)

## 5 L'article indéfini

| masculin | pluriel | féminin |
|---|---|---|
| **un** → | **des** ← | **une** |
| **un** livre | **des** livres | |
| | **des** cassettes | **une** cassette |
| **un** homme | **des** hommes | |
| | **des** femmes | **une** femme |
| **un** exercice | **des** exercices | |
| | **des** photos | **une** photo |

Regardez aussi N° 27.

## 6 L'adjectif possessif

| masculin | pluriel | féminin |
|---|---|---|
| **mon** livre | **mes** livres / voitures / amies | **ma** voiture / **mon** amie |
| **ton** livre | **tes** livres / voitures / amies | **ta** voiture / **ton** amie |
| **son** livre | **ses** livres / voitures / amies | **sa** voiture / **son** amie |
| **notre** fils | **nos** fils / filles | **notre** fille |
| **votre** fils | **vos** fils / filles | **votre** fille |
| **leur** fils | **leurs** fils / filles | **leur** fille |

Devant un nom féminin commençant par **a, e, i, o, u** et parfois **h** :
**ma, ta, sa** → **mon ton, son** (**mon** amie, **ton** amie, **son** amie).
C'est le fils de Jacques → **son** fils ← C'est le fils de Marie.
C'est la fille de Jacques → **sa** fille ← C'est la fille de Marie.

## 7 L'adjectif démonstratif

| masculin | pluriel | féminin |
|---|---|---|
| **ce   cet** → | **ces** ← | **cette** |
| **ce** livre | **ces** livres | |
| | **ces** photos | **cette** photo |
| **ce** journal | **ces** journaux | |
| | **ces** femmes | **cette** femme |
| **cet** album | **ces** albums | |
| | **ces** amies | **cette** amie |
| **cet** homme | **ces** hommes | |
| | **ces** histoires | **cette** histoire |
| **cet** hôtel | **ces** hôtels | |
| | **ces** illustrations | **cette** illustration |

Devant un nom masculin commençant par **a, e, i, o, u** et parfois **h** :
**ce** → **cet** (**cet** hôtel).

## 8 L'adjectif interrogatif

| masculin | | féminin | |
|---|---|---|---|
| singulier | pluriel | pluriel | singulier |
| **quel** → | **quels** | **quelles** ← | **quelle** |
| **quel** livre? | **quels** livres? | **quelles** pages? | **quelle** page? |
| **quel** restaurant? | **quels** restaurants? | **quelles** rues? | **quelle** rue? |
| **quel** texte? | **quels** textes? | **quelles** photos? | **quelle** photo? |

|  | **Avec un nom** | Un homme **simple**<br>Un **jeune** homme<br>Une **belle** femme<br>Une femme **blonde** |

---

**9  L'adjectif qualificatif**

| pluriel | | masculin | | féminin | | pluriel |
|---|---|---|---|---|---|---|
| simple**s** | **s +** | simple<br>jeune<br>riche | ← | simple | **+ s** | simple**s** |
| blond**s** | **s +** | blond<br>grand<br>brun | **+ e** | blond**e** | **+ s** | blond**es** |
| gris | ← | gris<br>mauvais | **+ e** | gris**e** | **+ s** | gris**es** |
| heureux | ← | heureux<br>joyeux | **(x)** → **se** | heureu**se** | **+ s** | heureu**ses** |
| actif**s** | **s +** | actif<br>sportif | **(f)** → **ve** | acti**ve** | **+ s** | acti**ves** |
| bon**s** | **s +** | bon | **+ ne** | bon**ne** | **+ s** | bon**nes** |
| beau**x** | **x +** | beau<br>nouveau | **(eau)** → **elle** | be**lle** | **+ s** | be**lles** |
| ancien**s** | **s +** | ancien | **+ ne** | ancien**ne** | **+ s** | ancien**nes** |
| cher**s** | **s +** | cher | **(er)** → **ère** | ch**ère** | **+ s** | ch**ères** |

*Exemples (place de l'adjectif)*

— C'est une *jeune* femme très *sympathique*.
— Grégoire est un enfant *heureux*.
— Elle est secrétaire *médicale*.
— Une femme entre à l'Académie *française*.
— Ce chien était un *merveilleux* compagnon.
— Il est *jeune, sympathique* et *célibataire*.
— Nous habitons dans une *grande* ville.
— Nous vous proposons des modèles *sensationnels* à des prix *fantastiques*.
— Je voudrais vivre à la campagne dans une *ancienne* maison avec un *grand* jardin.
— C'est un film *drôle, intelligent* et *poétique*.
— C'est un très *bon* roman *américain*.
— J'adore la cuisine *italienne*.
— Les exercices *personnels* ne sont pas *difficiles*.
— Aujourd'hui, Paris est *gris, sale, humide*.
— En Normandie, il y a de *magnifiques* plages de sable.
— Le climat *provençal* est *chaud* et *ensoleillé*.

| **A la place d'un nom** | **Je** viens. |
|---|---|
| | **Il la** soigne. |
| | Soigne-**la.** |
| | **Tu lui** téléphones. |
| | Viens avec **moi.** |
| | **Elle** se lève. |

## 10 Les pronoms personnels

__je__ ... __il__

| | |
|---|---|
| **Je** parle français. | **Nous** parlons français. |
| **Tu** parles | **Vous** parlez |
| **Il** parle | **Ils** parlent |
| **Elle** parle | **Elles** parlent |
| **On** parle français. | |
| **Moi, je** parle français. | **Nous, nous** parlons français. |
| **Toi, tu** parles | **Vous, vous** parlez |
| **Lui, il** parle | **Eux, ils** parlent |
| **Elle, elle** parle | **Elles, elles** parlent |
| **Nous, on** parle français. | |

## 11 Les pronoms personnels

(connaître quelqu'un)

__me__ ... __le, la, les__

| | | | |
|---|---|---|---|
| Il **me** connaît. | | Il **nous** | connaît. |
| Il **te** | connaît. | Il **vous** | connaît. |
| Il **le** | connaît. | Il **les** | connaît. |
| Il **la** | connaît. | Il **les** | connaît. |

Devant un verbe commençant par **a, e, i, o, u** et parfois **h** :
**me, te, le, la → m', t', l', l'** (il **m'**aime, il **t'**aime, il **l'**aime (Pierre), il **l'**aime [Marie]).

## 12 Les pronoms personnels

(parler **à** quelqu'un)

__me__ ... __lui, leur__

| | |
|---|---|
| Il **me** parle. | Il **nous** parle. |
| Il **te** parle. | Il **vous** parle. |
| Il **lui** parle (à Pierre). | Il **leur** parle (à Pierre et Paul). |
| Il **lui** parle (à Marie). | Il **leur** parle (à Marie et Anne). |

## 13 Les pronoms personnels

**moi ... lui**

C'est à **moi.**           C'est à **nous.**
       **toi.**                **vous.**
       **lui.**                **eux.**
       **elle.**              **elles.**

*Exemples*

Il vient avec *nous.*
C'est pour *moi.*
C'est triste, sans *toi.*
Je suis bien, près de *lui.*

## 14 Les pronoms personnels

**me ... se**

Je **me** lève.          Nous **nous** levons.
Tu **te** lèves.          Vous **vous** levez.
Il **se** lève.            Ils **se** lèvent
Elle **se** lève.         Elles **se** lèvent.
On **se** lève.

## 15 La place des pronoms personnels

Tu prends **le train?**         Tu as vu **ce film?**

Oui, je **le** prends.       Oui, je **l'**ai vu.
Non, je ne **le** prends pas.   Non, je ne **l'**ai pas vu.

Tu soignes Jacques.
Soigne-**le.**
Ne **le** soigne pas.

## Constructions

## 16 L'interrogation

Tu viens**?**       ⟶ Oui/Non.     ⟵ **Est-ce que** tu viens**?**
Vous habitez **où?** ⟶ A Paris.     ⟵ **Où est-ce que** vous habitez**?**
                 Il est mécanicien. ⎫ ⟵ **Qu'est-ce qu'**il fait**?**
                 Il lit. ⎭
**Comment** tu vas**?** ⟶ Bien/Mal.    ⟵ **Comment** vas-tu**?**

## 17 La négation

Elle **ne** fume **pas.**
Elle **ne** fume **plus.**
Elle **ne** fume **jamais.**
Elle **ne** mange **rien.**
Elle **ne** voit **personne.**
    **Ne** fume **pas.**
    **Ne pas** fumer dans la classe.

Hier, elle **n'**a **pas** fumé.
Hier, elle **n'**a **rien** mangé.
Hier, elle **n'**a vu **personne.**
    Elle **n'**a **jamais** fumé.

        Tu **ne** viens **pas?** ⎫
Est-ce que tu **ne** viens **pas?** ⎭ Si/Non
        Vous **n'**habitez **pas** à Paris? ⎫
Est-ce que vous **n'**habitez **pas** à Paris? ⎭ Si/Non

### 18 Le lieu

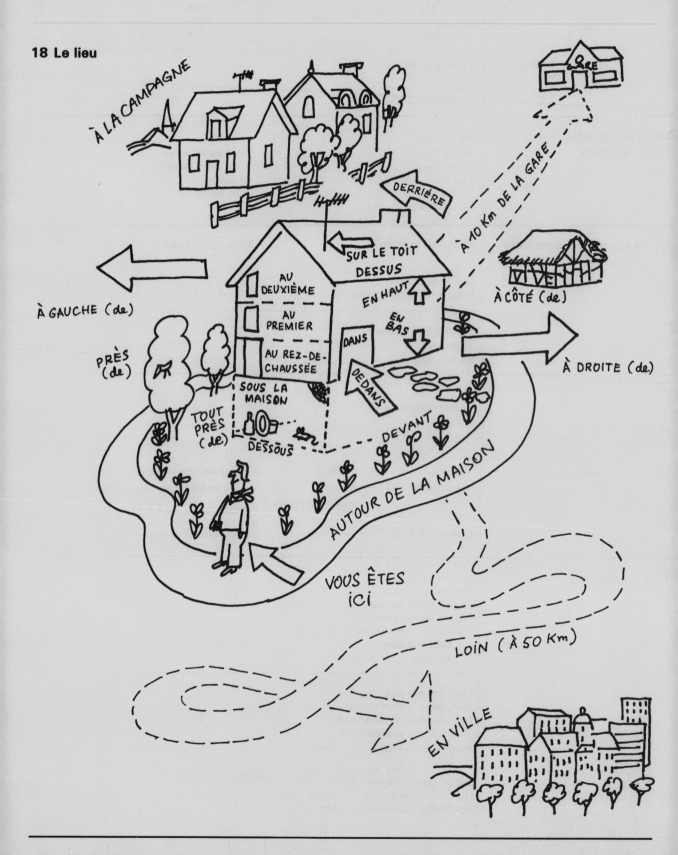

À LA CAMPAGNE

GARE

DERRIÈRE

À 10 Km DE LA GARE

SUR LE TOIT
DESSUS

À GAUCHE (de)

AU DEUXIÈME

AU PREMIER

AU REZ-DE-CHAUSSÉE

EN HAUT

EN BAS

DANS

À CÔTÉ (de)

À DROITE (de)

PRÈS (de)

SOUS LA MAISON

DEDANS

TOUT PRÈS (de)

DESSOUS

DEVANT

AUTOUR DE LA MAISON

VOUS ÊTES ICI

LOIN (À 50 Km)

EN VILLE

## 19 Expressions du lieu

| | |
|---|---|
| Je vais **à** Paris | Je viens **de** Paris |
| Je suis **à** Genève | **de** Genève |
| **à la** campagne | **de la** campagne |
| **au** bureau | **du** bureau |
| **à la** montagne | **de la** montagne |
| **à la** plage | **de la** plage |
| **dans** ma chambre | **de** ma chambre |
| **chez** moi | **de chez** moi |
| **chez** le coiffeur | **de chez** le coiffeur |
| **chez** ma sœur | **de chez** ma sœur. |

## 20 Pays

| | |
|---|---|
| Je vis **en** France | **au** Canada |
| Je vais **en** Suisse | **au** Portugal |
| **en** Belgique | **au** Sénégal |
| **en** Suède | **au** Maroc |
| **en** Italie | **aux** États-Unis. |
| **en** Égypte | |
| **en** Équateur | |

## 21 y, à la place d'un nom de lieu

| | | |
|---|---|---|
| Je vais **à Paris**. | ⟶ | J'**y** vais. |
| Je suis **dans ma chambre**. | ⟶ | J'**y** suis. |
| Il vit **en Suisse**. | ⟶ | Il **y** vit. |
| Nous sommes allés **au cinéma**. | ⟶ | Nous **y** sommes allés. |

## 22 Le temps

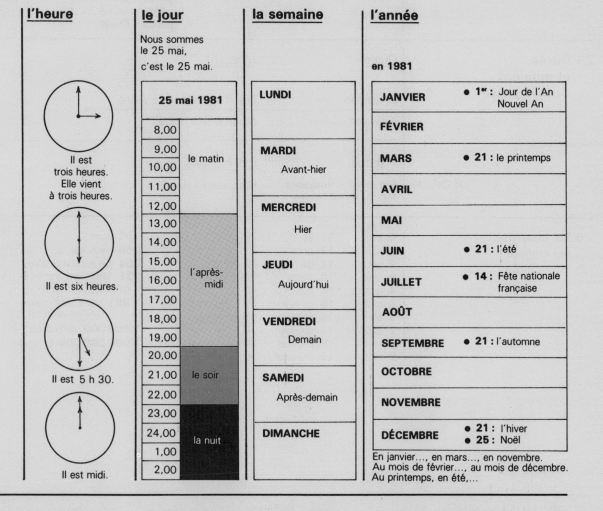

**l'heure**

Il est trois heures.
Elle vient à trois heures.

Il est six heures.

Il est 5 h 30.

Il est midi.

**le jour**

Nous sommes le 25 mai,
c'est le 25 mai.

| 25 mai 1981 | |
|---|---|
| 8,00 | |
| 9,00 | le matin |
| 10,00 | |
| 11,00 | |
| 12,00 | |
| 13,00 | |
| 14,00 | |
| 15,00 | l'après-midi |
| 16,00 | |
| 17,00 | |
| 18,00 | |
| 19,00 | |
| 20,00 | |
| 21,00 | le soir |
| 22,00 | |
| 23,00 | |
| 24,00 | la nuit |
| 1,00 | |
| 2,00 | |

**la semaine**

| |
|---|
| **LUNDI** |
| **MARDI** Avant-hier |
| **MERCREDI** Hier |
| **JEUDI** Aujourd'hui |
| **VENDREDI** Demain |
| **SAMEDI** Après-demain |
| **DIMANCHE** |

**l'année**

en 1981

| | |
|---|---|
| **JANVIER** | ● **1er** : Jour de l'An Nouvel An |
| **FÉVRIER** | |
| **MARS** | ● **21** : le printemps |
| **AVRIL** | |
| **MAI** | |
| **JUIN** | ● **21** : l'été |
| **JUILLET** | ● **14** : Fête nationale française |
| **AOÛT** | |
| **SEPTEMBRE** | ● **21** : l'automne |
| **OCTOBRE** | |
| **NOVEMBRE** | |
| **DÉCEMBRE** | ● **21** : l'hiver ● **25** : Noël |

En janvier..., en mars..., en novembre.
Au mois de février..., au mois de décembre.
Au printemps, en été,...

## 23 Le moment

| | Passé | Présent | Avenir |
|---|---|---|---|
| | Hier ← | Aujourd'hui | → Demain |
| | **Quand es-tu parti?** | **Qu'est-ce que vous faites?** | **Quand pars-tu?** |
| | Le 14 juillet. | Maintenant, nous déjeunons. | Demain. |
| | La semaine dernière. | Aujourd'hui, nous travaillons. | Le 13 octobre. |
| | Le mois dernier. | C'est dimanche, nous dormons. | Demain après-midi. |
| | Hier. | | Samedi prochain. |
| | Hier soir. | | Le mois prochain. |
| | Il y a une semaine. | | Dans une heure. |
| | Il y a un mois. | | Dans une semaine. |
| | Ce matin. | | Ce soir. |
| | A quatre heures. | | A six heures. |
| | Quand l'usine a fermé. | | Quand l'usine fermera. |

## 24 La durée

Nous sommes en Grèce
depuis une semaine.
depuis le 3 juillet.
depuis hier.
depuis ce matin.

Nous sommes restés
Nous resterons
jusqu'au 5 septembre.
jusqu'au mois de septembre.
jusqu'au mois prochain.
deux mois.
pendant deux mois.
pendant les vacances.
pendant l'hiver.

## 25 Durée et moment dans le passé

| Durée | Moment |
|---|---|
| Je dormais ⟶ | quand le téléphone a sonné. |
| Il pleuvait ⟶ | quand je suis rentré. |

**Habitude**

| Habituel | Pas habituel |
|---|---|
| Elle réveillait **toujours** son fils à huit heures. | **Hier,** elle l'a réveillé à sept heures. |

## 26 La quantité
les chiffres
les nombres

| | | | |
|---|---|---|---|
| **0** zéro | **10** dix | **20** vingt | **100** cent |
| **1** un | **11** onze | **21** vingt et un | **200** deux cents |
| **2** deux | **12** douze | **22** vingt-deux | **204** deux cent quatre |
| **3** trois | **13** treize | **30** trente | **331** trois cent trente et un |
| **4** quatre | **14** quatorze | **40** quarante | **1 000** mille |
| **5** cinq | **15** quinze | **50** cinquante | **1 981** mille neuf cent quatre-vingt-un |
| **6** six | **16** seize | **60** soixante | |
| **7** sept | **17** dix-sept | **70** soixante-dix | **1 000 000** un million |
| **8** huit | **18** dix-huit | **80** quatre-vingt(s) | **1 000 000 000** un milliard |
| **9** neuf | **19** dix-neuf | **90** quatre-vingt-dix | |

## 27 On ne peut pas compter la quantité

| masculin **du** **de l'** → | pluriel **des** ← | féminin **de la** **de l'** |
|---|---|---|
| **Vous avez...** Vous avez... **du** fromage **du** lait **de l'**argent | Vous avez... **des** haricots **des** fleurs **des** légumes | Vous avez... **de la** salade **de la** bière **de l'**essence **de l'**huile |
| **Nous n'avons pas...** Nous n'avons... pas **de** fromage pas **de** lait pas **d'**argent | Nous n'avons... pas **de** haricots pas **de** fleurs pas **de** légumes | Nous n'avons... pas **de** salade pas **de** bière pas **d'**essence pas **d'**huile |

Vous avez du ...?  
    de la ...?  { Oui, j'**en** ai.  
    des ...?     Non, je n'**en** ai pas.

## 28 Poids et mesures

| | |
|---|---|
| 1 millimètre (mm) 3 centimètres (cm) 5 mètres (m) 20 kilomètres (km) Il mesure 1 mètre 80. | Ça fait combien de kilomètres jusqu'à Bordeaux? 740. Genève est à 60 km de Lausanne. 3 mètres de haut.       de large.       de long. |
| 1 demi-litre 5 litres 2 litres et demi | 3 litres de lait une bouteille de vin. |
| 100 grammes (g) 1 livre 1 kilogramme   kilo (kg) 3 tonnes | 1 kilo de sucre. 200 grammes de chocolat. Cette voiture pèse 1 tonne. |
| 20 centimes 3 francs (F) | Ça fait 1,50 franc. Ça coûte 200 francs. |

## 29 Expressions de la quantité

J'ai **assez**  
    **trop**  } de travail.  Je travaille { **assez.**  
    **peu**                         **trop.**    Je ne travaille pas {  
    **beaucoup**               **peu.**  
                             **beaucoup.**                 **beaucoup.**

Du travail, j'**en** ai **assez.**

Combien de litres? J'**en** prends **trente litres.**

Combien de comprimés? Vous **en** prenez **trois.**

## Relations

### 30 La comparaison

Il a acheté une nouvelle voiture...

= | Elle est **aussi** chère
  | Elle va **aussi** vite

− | Elle est **moins** chère
  | Elle va **moins** vite

+ | Elle est **plus** chère
  | Elle va **plus** vite

} que ma voiture.

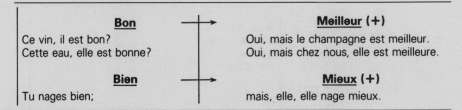

**Bon** → **Meilleur (+)**

Ce vin, il est bon?    Oui, mais le champagne est meilleur.
Cette eau, elle est bonne?    Oui, mais chez nous, elle est meilleure.

**Bien** → **Mieux (+)**

Tu nages bien;    mais, elle, elle nage mieux.

### 31 L'opposition

J'adore la campagne, **mais** j'habite en ville.
Je comprends facilement, **mais** je ne parle pas bien.

### 32 La liaison

Elle parle le français **et** l'italien.
Toi **et** moi.
Il mange **et** boit beaucoup.

### 33 La cause

J'aime les pays du Sud, **parce qu'**il fait chaud.
                     **car** il fait chaud.
                     **à cause de** la chaleur.

### la conséquence

J'aime la chaleur, **alors** je vais dans le Sud.
               **donc** je vais dans le Sud.
               **c'est pourquoi** je vais dans le Sud.

### 34 Le but

Ils apprennent le français **pour** leur travail.
                     **pour** lire les journaux.
                     **pour** aller en France.

## Conjugaisons

### 35 Le présent

| | **avoir** | **être** | **faire** | **aller** |
|---|---|---|---|---|
| | j' ai | je suis | je fais | je vais |
| | tu as | tu es | tu fais | tu vas |
| elle, on | il a | il est | il fait | il va |
| | nous avons | nous sommes | nous faisons | nous allons |
| | vous avez | vous êtes | vous faites | vous allez |
| elles | ils ont | ils sont | ils font | ils vont |

| | **regarder** | **manger** | **commencer** | **appeler** |
|---|---|---|---|---|
| | je regard**e** | je mang**e** | je commenc**e** | j' appell**e** |
| | tu regard**es** | tu mang**es** | tu commenc**es** | tu appell**es** |
| elle, on | il regard**e** | il mang**e** | il commenc**e** | il appell**e** |
| | nous regard**ons** | nous mang**eons** | nous commenç**ons** | nous appel**ons** |
| | vous regard**ez** | vous mang**ez** | vous commenc**ez** | vous appel**ez** |
| elles | ils regard**ent** | ils mang**ent** | ils commenc**ent** | ils appell**ent** |
| | | g + a ou | c + a, o, u, → ça, | l + e non prononcé |
| | | o → gea, geo | ço, çu | → lle |

| finir | réussir | sortir | venir |
|---|---|---|---|
| je fin**is** | je réuss**is** | je sor**s** | je viens |
| tu fin**is** | tu réuss**is** | tu sor**s** | tu viens |
| il fin**it** | il réuss**it** | il sor**t** | il vient |
| nous finiss**ons** | nous réussiss**ons** | nous sort**ons** | nous venons |
| vous finiss**ez** | vous réussiss**ez** | vous sort**ez** | vous venez |
| ils finiss**ent** | ils réussiss**ent** | ils sort**ent** | ils viennent |

*(elle, on → il ; elles → ils)*

| devoir | savoir | connaître | attendre |
|---|---|---|---|
| je dois | je sais | je connais | j' attends |
| tu dois | tu sais | tu connais | tu attends |
| il doit | il sait | il connaît | il attend |
| nous devons | nous savons | nous connaissons | nous attendons |
| vous devez | vous savez | vous connaissez | vous attendez |
| ils doivent | ils savent | ils connaissent | ils attendent |

*(elle, on → il ; elles → ils)*

**apprendre**
nous apprenons
vous apprenez
ils apprennent
**s'asseoir**
je m'assieds
tu t'assieds
il s'assied
nous nous asseyons
vous vous asseyez
ils s'asseyent
**boire**
je bois
nous buvons
vous buvez
ils boivent
**choisir**
→ finir
**comprendre**
→ apprendre
**conduire**
je conduis
nous conduisons
vous conduisez
ils conduisent
**courir**
je cours
nous courons
**croire**
je crois
nous croyons
ils croient
**découvrir**
je découvre
nous découvrons
**décrire**
→ écrire
**défendre**
→ attendre

**descendre**
→ attendre
**dire**
je dis
nous disons
vous dites
ils disent
**dormir**
je dors
nous dormons
**écrire**
j'écris
nous écrivons
vous écrivez
ils écrivent
**entendre**
→ attendre
**envoyer**
j'envoie
tu envoies
il envoie
nous envoyons
vous envoyez
ils envoient
(y devant e
non prononcé → ie)
**lire**
je lis
nous lisons
**mettre**
je mets
nous mettons
**mourir**
je meurs
nous mourons
vous mourez
ils meurent
**ouvrir**
j'ouvre
nous ouvrons

**partir**
je pars
nous partons
**perdre**
je perds
il perd
nous perdons
**plaire**
je plais
nous plaisons
**pleuvoir**
il pleut
**pouvoir**
je peux
tu peux
il peut
nous pouvons
vous pouvez
ils peuvent
**prendre**
je prends
nous prenons
ils prennent
**promettre**
→ mettre
**recevoir**
je reçois
nous recevons
ils reçoivent
**réfléchir**
→ finir
**remplir**
→ finir
**rendre**
je rends
nous rendons
ils rendent
**répondre**
je réponds
nous répondons

**réussir**
→ finir
**rire**
je ris
nous rions
ils rient
**savoir**
je sais
nous savons
ils savent
**sortir**
je sors
nous sortons
**tenir**
je tiens
nous tenons
ils tiennent
**vendre**
→ attendre
**venir**
je viens
nous venons
ils viennent
**vivre**
je vis
nous vivons
**voir**
je vois
nous voyons
ils voient
**vouloir**
je veux
tu veux
il veut
nous voulons
vous voulez
ils veulent

**36** *Exemples*

*Je suis* biologiste.
*J'habite* à Paris.
*Je me lève* à six heures tous les matins.
Le dimanche, *je prends* tranquillement mon petit déjeuner.
*J'apprends* le français pour mon travail.
Le lundi, au bureau, *il fait* toujours froid.
La bicyclette, *c'est* bon pour la santé.
La Provence *est* célèbre par son climat.
*J'aime* mieux vivre en ville.
Moi, *je trouve* que c'est horrible.

*Il veut* rentrer.
*On doit* partir.
Monsieur Liardet *est* là?
*Tu dois* partir?
Quel *est* ton secret?
Le matin, *vous partez* à quelle heure?
*Pouvez-vous* changer ma monnaie?
Le pain, *vous l'aimez* bien cuit?
Est-ce que *vous pouvez* utiliser le conditionnel?
Qu'est-ce que *vous faites*?
*Vous travaillez* où?

*Elle* ne *fume* pas, *elle* ne *boit* pas.
*Il* n'*est* pas malade.
*Je* ne *viens* pas.
*Je* n'*aime* pas du tout ce tableau.
*Je* n'*ai* pas beaucoup de temps.
*Il* ne *vient* jamais.
*On* ne *connaît* pas les causes de l'accident.

*Vous* ne *parlez* pas français?
*Il* n'*habite* pas à Lyon?
*Tu* ne *reconnais* pas Michel?
*Vous* ne *venez* pas?
*Vous* ne le *connaissez* pas?
*Tu* n'*as* pas faim?

## 37 L'imparfait

| | **avoir** | **être** | **faire** | **aller** |
|---|---|---|---|---|
| | j' av**ais** | j' ét**ais** | je fais**ais** | j' all**ais** |
| | tu av**ais** | tu ét**ais** | tu fais**ais** | tu all**ais** |
| elle, on | il av**ait** | il ét**ait** | il fais**ait** | il all**ait** |
| | nous av**ions** | nous ét**ions** | nous fais**ions** | nous all**ions** |
| | vous av**iez** | vous ét**iez** | vous fais**iez** | vous all**iez** |
| elles | ils av**aient** | ils ét**aient** | ils fais**aient** | ils all**aient** |

| | **regarder** | **manger** | **commencer** | **appeler** |
|---|---|---|---|---|
| | je regard**ais** | je mange**ais** | je commenç**ais** | j' appel**ais** |
| | tu regard**ais** | tu mange**ais** | tu commenç**ais** | tu appel**ais** |
| elle, on | il regard**ait** | il mange**ait** | il commenç**ait** | il appel**ait** |
| | nous regard**ions** | nous mang**ions** | nous commenc**ions** | nous appel**ions** |
| | vous regard**iez** | vous mang**iez** | vous commenc**iez** | vous appel**iez** |
| elles | ils regard**aient** | ils mange**aient** | ils commenç**aient** | ils appel**aient** |

| | **finir** | **réussir** | **sortir** | **venir** |
|---|---|---|---|---|
| | je finiss**ais** | je réussiss**ais** | je sort**ais** | je ven**ais** |
| | tu finiss**ais** | tu réussiss**ais** | tu sort**ais** | tu ven**ais** |
| elle, on | il finiss**ait** | il réussiss**ait** | il sort**ait** | il ven**ait** |
| | nous finiss**ions** | nous réussiss**ions** | nous sort**ions** | nous ven**ions** |
| | vous finiss**iez** | vous réussiss**iez** | vous sort**iez** | vous ven**iez** |
| elles | ils finiss**aient** | ils réussiss**aient** | ils sort**aient** | ils ven**aient** |

| | **devoir** | **savoir** | **connaître** | **attendre** |
|---|---|---|---|---|
| | je dev**ais** | je sav**ais** | je connaiss**ais** | j' attend**ais** |
| | tu dev**ais** | tu sav**ais** | tu connaiss**ais** | tu attend**ais** |
| elle, on | il dev**ait** | il sav**ait** | il connaiss**ait** | il attend**ait** |
| | nous dev**ions** | nous sav**ions** | nous connaiss**ions** | nous attend**ions** |
| | vous dev**iez** | vous sav**iez** | vous connaiss**iez** | vous attend**iez** |
| elles | ils dev**aient** | ils sav**aient** | ils connaiss**aient** | ils attend**aient** |

Pour trouver l'imparfait,
partir du présent :
nous dis/ons → nous
dis**ions**
nous compren/ons
→ nous compren**ions**

**apprendre**
j'apprenais
nous apprenions
**s'asseoir**
je m'asseyais
nous nous asseyions
**boire**
tu buvais
vous buviez
**choisir** → finir
**comprendre**
→ apprendre
**conduire**
je conduisais
nous conduisions
**courir**
tu courais
elles couraient
**croire**
je croyais
nous croyions
**découvrir**
je découvrais
il découvrait
**décrire**
→ écrire

**défendre**
→ attendre
**descendre**
→ attendre
**dire**
je disais
tu disais
nous disions
vous disiez
**dormir**
je dormais
elle dormait
vous dormiez
**écrire**
j'écrivais
nous écrivions
**entendre**
→ attendre
**envoyer**
j'envoyais
tu envoyais
nous envoyions
ils envoyaient
**lire**
je lisais
vous lisiez

**mettre**
je mettais
vous mettiez
**mourir**
il mourait
ils mouraient
**ouvrir**
j'ouvrais
elle ouvrait
elles ouvraient
**partir**
je partais
ils partaient
**perdre**
il perdait
vous perdiez
ils perdaient
**plaire**
tu plaisais
il plaisait
**pleuvoir**
il pleuvait
**pouvoir**
je pouvais
il pouvait
vous pouviez

**prendre**
je prenais
elle prenait
ils prenaient
**promettre**
→ mettre
**recevoir**
je recevais
tu recevais
elle recevait
**réfléchir**
je réfléchissais
elle réfléchissait
**remplir**
→ finir
**rendre**
je rendais
vous rendiez
**répondre**
je répondais
elle répondait
vous répondiez
**réussir**
→ finir

| **rire** | **sortir** | **venir** | **voir** |
|---|---|---|---|
| je riais | je sortais | je venais | je voyais |
| nous riions | il sortait | tu venais | nous voyions |
| vous riiez | vous sortiez | nous venions | vous voyiez |
| ils riaient | **tenir** | **vivre** | **vouloir** |
| **savoir** | je tenais | je vivais | je voulais |
| je savais | tu tenais | nous vivions | tu voulais |
| elle savait | elles tenaient | | elle voulait |
| vous saviez | **vendre** | | vous vouliez |
| | → attendre | | |

---

**38**  *Exemples*

*J'étais* contente.
Le concert *était* extraordinaire.
*Nous habitions* dans une petite ville.
Cette soirée, *c'était* formidable.
Ce jour-là, *il pleuvait*, le ciel *était* gris.
Tous les matins, *elle réveillait* son fils à sept heures.
Chaque jour, *ils prenaient* le métro.
Tous les ans, *nous allions* en Italie.
Avant, *elle travaillait* chez Ducrot.

*Tu travaillais* où?
*Elle habitait* à Paris?
*Tu étais* malade?

Je ne *sortais* jamais seule.
Quand *j'avais* vingt ans, *je* ne *fumais* pas.
*Nous* n'*avions* pas de chien.
Ce film n'*était* pas très drôle.

---

## 39 Le passé composé

| **avoir** | **être** | **faire** | **aller** |
|---|---|---|---|
| → **eu** + avoir | → **été** + avoir | → **fait** + avoir | → **allé** + être |
| j' ai eu | j' ai été | j' ai fait | je suis allé(e) |
| tu as eu | tu as été | tu as fait | tu es allé(e) |
| il a eu | il a été | il a fait | il est allé |
| elle a eu | elle a été | elle a fait | elle est allée |
| nous avons eu | nous avons été | nous avons fait | nous sommes allé(e)s |
| vous avez eu | vous avez été | vous avez fait | vous êtes allé(e)s |
| ils ont eu | ils ont été | ils ont fait | ils sont allés |
| elles ont eu | elles ont été | elles ont fait | elles sont allées |

| **regarder** | **manger** | **commencer** | **appeler** |
|---|---|---|---|
| → **regardé** + avoir | → **mangé** + avoir | → **commencé** + avoir | → **appelé** + avoir |
| j' ai regardé | j' ai mangé | j' ai commencé | j' ai appelé |
| tu as regardé | tu as mangé | tu as commencé | tu as appelé |
| il a regardé | il a mangé | il a commencé | il a appelé |
| elle a regardé | elle a mangé | elle a commencé | elle a appelé |
| nous avons regardé | nous avons mangé | nous avons commencé | nous avons appelé |
| vous avez regardé | vous avez mangé | vous avez commencé | vous avez appelé |
| ils ont regardé | ils ont mangé | ils ont commencé | ils ont appelé |
| elles ont regardé | elles ont mangé | elles ont commencé | elles ont appelé |

| **finir** | **réussir** | **sortir** | **venir** |
|---|---|---|---|
| → **fini** + avoir | → **réussi** + avoir | → **sorti** + être | → **venu** + être |
| j' ai fini | j' ai réussi | je suis sorti(e) | je suis venu(e) |
| tu as fini | tu as réussi | tu es sorti(e) | tu es venu(e) |
| il a fini | il a réussi | il est sorti | il est venu |
| elle a fini | elle a réussi | elle est sortie | elle est venue |
| nous avons fini | nous avons réussi | nous sommes sorti(e)s | nous sommes venu(e)s |
| vous avez fini | vous avez réussi | vous êtes sorti(e)s | vous êtes venu(e)s |
| ils ont fini | ils ont réussi | ils sont sortis | ils sont venus |
| elles ont fini | elles ont réussi | elles sont sorties | elles sont venues |

| **devoir** | **savoir** | **connaître** | **attendre** |
|---|---|---|---|
| → **dû** + avoir | → **su** + avoir | → **connu** + avoir | → **attendu** + avoir |
| j' ai dû | j' ai su | j' ai connu | j' ai attendu |
| tu as dû | tu as su | tu as connu | tu as attendu |
| il a dû | il a su | il a connu | il a attendu |
| elle a dû | elle a su | elle a connu | elle a attendu |
| nous avons dû | nous avons su | nous avons connu | nous avons attendu |
| vous avez dû | vous avez su | vous avez connu | vous avez attendu |
| ils ont dû | ils ont su | ils ont connu | ils ont attendu |
| elles ont dû | elles ont su | elles ont connu | elles ont attendu |

**apprendre**
→ appris + avoir
j'ai appris
il a appris
ils ont appris

**s'asseoir**
→ assis + être
je me suis assis(e)
tu t'es assis(e)
il s'est assis
elle s'est assise
elles se sont assises

**boire**
→ bu + avoir
j'ai bu
il a bu
elles ont bu

**choisir**
→ choisi + avoir
j'ai choisi

**comprendre**
→ compris + avoir
elle a compris

**conduire**
→ conduit + avoir
il a conduit
nous avons conduit

**courir**
→ couru + avoir
j'ai couru
elle a couru

**croire**
→ cru + avoir
j'ai cru
elles ont cru

**découvrir**
→ découvert + avoir
j'ai découvert
ils ont découvert

**décrire**
→ décrit + avoir
ils ont décrit

**défendre**
→ défendu + avoir
il a défendu
ils ont défendu

**descendre**
→ descendu + être
elle est descendue

**dire**
→ dit + avoir
j'ai dit
il a dit
elle a dit

**dormir**
→ dormi + avoir
j'ai dormi
il a dormi
elle a dormi

**écrire**
→ écrit + avoir
j'ai écrit
nous avons écrit
ils ont écrit

**entendre**
→ entendu + avoir
j'ai entendu
vous avez entendu
ils ont entendu

**envoyer**
→ envoyé + avoir
j'ai envoyé
il a envoyé
ils ont envoyé

**lire**
→ lu + avoir
j'ai lu
nous avons lu

**mettre**
→ mis + avoir
j'ai mis
tu as mis
elle a mis

**mourir**
→ mort + être
il est mort
elle est morte
ils sont morts
elles sont mortes

**ouvrir**
→ ouvert + avoir
j'ai ouvert
il a ouvert
elle a ouvert

**partir**
→ parti + être
je suis parti(e)
il est parti
elle est partie

ils sont partis
elles sont parties

**perdre**
→ perdu + avoir
j'ai perdu
nous avons perdu
vous avez perdu

**plaire**
→ plu + avoir
il a plu
elle a plu

**pleuvoir**
→ plu + avoir
il a plu

**pouvoir**
→ pu + avoir
j'ai pu
tu as pu
elle a pu
nous avons pu

**prendre**
→ pris + avoir
j'ai pris
elle a pris
nous avons pris

**promettre**
→ promis + avoir
j'ai promis
il a promis
vous avez promis

**recevoir**
→ reçu + avoir
j'ai reçu
nous avons reçu

**réfléchir**
→ réfléchi + avoir
j'ai réfléchi
il a réfléchi
nous avons réfléchi

**remplir**
→ rempli + avoir
j'ai rempli

**rendre**
→ rendu + avoir
j'ai rendu
il a rendu
nous avons rendu

**répondre**
→ répondu + avoir

j'ai répondu
elle a répondu
nous avons répondu

**réussir**
→ réussi + avoir
j'ai réussi
nous avons réussi

**rire**
→ ri + avoir
il a ri
elle a ri

**savoir**
→ su + avoir
j'ai su
nous avons su

**sortir**
→ sorti + être
je suis sorti(e)
il est sorti
elle est sortie
nous sommes sorti(e)s

**tenir**
→ tenu + avoir
j'ai tenu
elle a tenu

**vendre**
→ vendu + avoir
j'ai vendu
il a vendu
nous avons vendu

**venir**
→ venu + être
je suis venu(e)
tu es venu(e)
elle est venue
vous êtes venu(e)
ils sont venus

**vivre**
→ vécu + avoir
j'ai vécu
nous avons vécu

**voir**
→ vu + avoir
j'ai vu
elle a vu
nous avons vu

**vouloir**
→ voulu + avoir
j'ai voulu
il a voulu
elle a voulu

---

**40** *Exemples*

*Il est allé* à Tahiti.
*Elle est allée* en Grèce.
*Nous avons visité* Paris
*Je suis descendue* à l'hôtel.
Pierre *a disparu.*
*Ils ont passé* huit jours à Anvers.
*Je suis* bien *arrivé* à Montréal.
*J'ai vu* ta femme au cinéma.
*On a trouvé* le film excellent.
*Ils se sont salués.*
Barbara *a ouvert* les yeux, *elle a vu* l'infirmière.

*Vous avez compris?*
*Vous êtes allés* au casino?
Qu'est-ce que *vous avez fait?*
Qu'est-ce qui *a changé* dans votre vie?
*Tu as fait* du piano?
Où *avez-vous appris* le français?

*Elle n'a* pas *vu* la voiture.
*Nous* ne *sommes* pas *allés* au casino.
*Je* ne *suis* pas *partie.*
*Je n'ai* pas *répondu* à sa lettre.

---

**41 Le futur**

| | avoir | | être | | faire | | aller | |
|---|---|---|---|---|---|---|---|---|
| | j' | aur**ai** | je | ser**ai** | je | fer**ai** | j' | ir**ai** |
| | tu | aur**as** | tu | ser**as** | tu | fer**as** | tu | ir**as** |
| elle, on | il | aur**a** | il | ser**a** | il | fer**a** | il | ir**a** |
| | nous | aur**ons** | nous | ser**ons** | nous | fer**ons** | nous | ir**ons** |
| | vous | aur**ez** | vous | ser**ez** | vous | fer**ez** | vous | ir**ez** |
| elles | ils | aur**ont** | ils | ser**ont** | ils | fer**ont** | ils | ir**ont** |

|  | **regarder** | **manger** | **commencer** | **appeler** |
|---|---|---|---|---|
|  | je regarder**ai** | je manger**ai** | je commencer**ai** | j' appeller**ai** |
|  | tu regarder**as** | tu manger**as** | tu commencer**as** | tu appeller**as** |
| elle, on | il regarder**a** | il manger**a** | il commencer**a** | il appeller**a** |
|  | nous regarder**ons** | nous manger**ons** | nous commencer**ons** | nous appeller**ons** |
|  | vous regarder**ez** | vous manger**ez** | vous commencer**ez** | vous appeller**ez** |
| elles | ils regarder**ont** | ils manger**ont** | ils commencer**ont** | ils appeller**ont** |

|  | **finir** | **réussir** | **sortir** | **venir** |
|---|---|---|---|---|
|  | je finir**ai** | je réussir**ai** | je sortir**ai** | je viendr**ai** |
|  | tu finir**as** | tu réussir**as** | tu sortir**as** | tu viendr**as** |
| elle, on | il finir**a** | il réussir**a** | il sortir**a** | il viendr**a** |
|  | nous finir**ons** | nous réussir**ons** | nous sortir**ons** | nous viendr**ons** |
|  | vous finir**ez** | vous réussir**ez** | vous sortir**ez** | vous viendr**ez** |
| elles | ils finir**ont** | ils réussir**ont** | ils sortir**ont** | ils viendr**ont** |

|  | **devoir** | **savoir** | **connaître** | **attendre** |
|---|---|---|---|---|
|  | je devr**ai** | je saur**ai** | je connaîtr**ai** | j' attendr**ai** |
|  | tu devr**as** | tu saur**as** | tu connaîtr**as** | tu attendr**as** |
| elle, on | il devr**a** | il saur**a** | il connaîtr**a** | il attendr**a** |
|  | nous devr**ons** | nous saur**ons** | nous connaîtr**ons** | nous attendr**ons** |
|  | vous devr**ez** | vous saur**ez** | vous connaîtr**ez** | vous attendr**ez** |
| elles | ils devr**ont** | ils saur**ont** | ils connaîtr**ont** | ils attendr**ont** |

Au futur,
les terminaisons
sont toujours
**R +** **ai**
**as**
**a**
**R +** **ons**
**ez**
**ont**

**apprendre**
j'apprendrai
vous apprendrez
**s'asseoir**
je m'assiérai
vous vous assiérez
**boire**
je boirai
il boira
**choisir**
tu choisiras
ils choisiront
**comprendre**
nous comprendrons
ils comprendront
**conduire**
je conduirai
elle conduira
**courir**
je courrai
il courra
**croire**
je croirai
elle croira
**découvrir**
il découvrira
elles découvriront
**décrire**
tu décriras
**défendre**
nous défendrons

**descendre**
je descendrai
nous descendrons
**dire**
je dirai
elle dira
ils diront
**dormir**
je dormirai
il dormira
**écrire**
nous écrirons
vous écrirez
**entendre**
j'entendrai
tu entendras
**envoyer**
j'enverrai
il enverra
nous enverrons
elles enverront
**lire**
je lirai
nous lirons
**mettre**
tu mettras
il mettra
**mourir**
il mourra
ils mourront

**ouvrir**
j'ouvrirai
ils ouvriront
**partir**
je partirai
il partira
nous partirons
**perdre**
je perdrai
il perdra
**plaire**
elle plaira
**pleuvoir**
il pleuvra
**pouvoir**
je pourrai
nous pourrons
**prendre**
tu prendras
vous prendrez
**promettre**
il promettra
vous promettrez
**recevoir**
je recevrai
elle recevra
ils recevront
**réfléchir**
je réfléchirai
**remplir**
tu rempliras

**rendre**
je rendrai
**réussir**
je réussirai
**rire**
nous rirons
**savoir**
je saurai
il saura
nous saurons
**sortir**
je sortirai
nous sortirons
**tenir**
je tiendrai
il tiendra
nous tiendrons
**vendre**
je vendrai
**venir**
je viendrai
tu viendras
nous viendrons
**vivre**
je vivrai
**voir**
je verrai
nous verrons
**vouloir**
je voudrai
il voudra

**42**    *Exemples*

*Nous irons* à Paris en juillet.
*Je prendrai* mes vacances en septembre.
Notre horaire *changera*.
*Je* t'*écrirai* demain.
*Nous* vous *montrerons* des modèles sensationnels.
A Paris, *vous pourrez* visiter les musées.

*Tu viendras* avec nous?
*Vous inviterez* les Girard?
*Vous* nous *téléphonerez* demain?
*Vous habiterez* où?
Quand est-ce que *vous prendrez* vos vacances?

*Il* ne *fumera* plus.
*Il* ne *boira* plus d'alcool.
Cette année, *nous* ne *partirons* pas.

*Vous* ne *viendrez* pas avec nous?
*Tu* ne *prendras* pas ta voiture?
*Elle* n'*apportera* pas ses photos?

On emploie aussi le présent pour exprimer le futur :
*On part* demain.
*On rentre* dans un mois.
*On* y *va* l'année prochaine.
*Je* ne *peux* pas venir la semaine prochaine.

## 43 Conditionnel

| | **avoir** | | **être** | | **faire** | | **aller** |
|---|---|---|---|---|---|---|---|
| | j' aur**ais** | je | ser**ais** | je | fer**ais** | j' | ir**ais** |
| | tu aur**ais** | tu | ser**ais** | tu | fer**ais** | tu | ir**ais** |
| elle, on | il aur**ait** | il | ser**ait** | il | fer**ait** | il | ir**ait** |
| | nous aur**ions** | nous | ser**ions** | nous | fer**ions** | nous | ir**ions** |
| | vous aur**iez** | vous | ser**iez** | vous | fer**iez** | vous | ir**iez** |
| elles | ils aur**aient** | ils | ser**aient** | ils | fer**aient** | ils | ir**aient** |

| | **regarder** | | **manger** | | **commencer** | | **appeler** |
|---|---|---|---|---|---|---|---|
| | je regarder**ais** | je | manger**ais** | je | commencer**ais** | j' | appeller**ais** |
| | tu regarder**ais** | tu | manger**ais** | tu | commencer**ais** | tu | appeller**ais** |
| elle, on | il regarder**ait** | il | manger**ait** | il | commencer**ait** | il | appeller**ait** |
| | nous regarder**ions** | nous | manger**ions** | nous | commencer**ions** | nous | appeller**ions** |
| | vous regarder**iez** | vous | manger**iez** | vous | commencer**iez** | vous | appeller**iez** |
| elles | ils regarder**aient** | ils | manger**aient** | ils | commencer**aient** | ils | appeller**aient** |

| | **finir** | | **réussir** | | **sortir** | | **venir** |
|---|---|---|---|---|---|---|---|
| | je finir**ais** | je | réussir**ais** | je | sortir**ais** | je | viendr**ais** |
| | tu finir**ais** | tu | réussir**ais** | tu | sortir**ais** | tu | viendr**ais** |
| elle, on | il finir**ait** | il | réussir**ait** | il | sortir**ait** | il | viendr**ait** |
| | nous finir**ions** | nous | réussir**ions** | nous | sortir**ions** | nous | viendr**ions** |
| | vous finir**iez** | vous | réussir**iez** | vous | sortir**iez** | vous | viendr**iez** |
| elles | ils finir**aient** | ils | réussir**aient** | ils | sortir**aient** | ils | viendr**aient** |

| | **devoir** | | **savoir** | | **connaître** | | **attendre** |
|---|---|---|---|---|---|---|---|
| | je devr**ais** | je | saur**ais** | je | connaîtr**ais** | j' | attendr**ais** |
| | tu devr**ais** | tu | saur**ais** | tu | connaîtr**ais** | tu | attendr**ais** |
| elle, on | il devr**ait** | il | saur**ait** | il | connaîtr**ait** | il | attendr**ait** |
| | nous devr**ions** | nous | saur**ions** | nous | connaîtr**ions** | nous | attendr**ions** |
| | vous devr**iez** | vous | saur**iez** | vous | connaîtr**iez** | vous | attendr**iez** |
| elles | ils devr**aient** | ils | saur**aient** | ils | connaîtr**aient** | ils | attendr**aient** |

Pour trouver
le conditionnel,
prendre le futur :
j'aime**R**ai
nous attend**R**ons
et, après **R,**
mettre les terminaisons
de l'imparfait :
j'aime**R**ais
nous attend**R**ions

| **apprendre** | **descendre** | **perdre** | **réussir** |
|---|---|---|---|
| j'apprendrais | je descendrais | je perdrais | je réussirais |
| **s'asseoir** | **dire** | **plaire** | **rire** |
| je m'assiérais | je dirais | je plairais | je rirais |
| **boire** | **dormir** | **pleuvoir** | **savoir** |
| je boirais | je dormirais | il pleuvrait | je saurais |
| **choisir** | **écrire** | **pouvoir** | **sortir** |
| je choisirais | j'écrirais | je pourrais | je sortirais |
| **comprendre** | **entendre** | **prendre** | **tenir** |
| je comprendrais | j'entendrais | je prendrais | je tiendrais |
| **conduire** | **envoyer** | **promettre** | **vendre** |
| je conduirais | j'enverrais | je promettrais | je vendrais |
| **couvrir** | **lire** | **recevoir** | **venir** |
| je couvrirais | je lirais | je recevrais | je viendrais |
| **croire** | **mettre** | **réfléchir** | **vivre** |
| je croirais | je mettrais | je réfléchirais | je vivrais |
| **découvrir** | **mourir** | **remplir** | **voir** |
| je découvrirais | je mourrais | je remplirais | je verrais |
| **décrire** | **ouvrir** | **rentrer** | **vouloir** |
| je décrirais | j'ouvrirais | je rentrerais | je voudrais |
| **défendre** | **partir** | **répondre** | |
| je défendrais | je partirais | je répondrais | |

**44** *Exemples*

*J'aimerais* deux timbres.
*Je voudrais* vingt litres d'essence.
*J'aimerais* vivre dans une grande maison.
Lui, *il voudrait* vivre en ville.
Ça va, mais *ça pourrait* aller mieux.
*J'emporterais* mes livres.
Lui, *il irait* au Portugal.
A sa place, *je ferais* du sport.
*On pourrait* faire un pique-nique.

*Qu'emporteriez-vous?*
*Il ne prendrait* rien.

*Je ne voudrais* pas quitter la France.
*Elle ne pourrait* pas vivre seule.

*Je n'aimerais* pas vivre à la campagne.
Quel métier *choisirais-tu?*
Avec qui *aimeriez-vous* faire un voyage?
Qu'est-ce que *tu aimerais* faire dimanche?
*Tu partirais* quand?

*Tu n'aimerais* pas vivre au Canada?
*Tu ne voudrais* pas venir avec moi?
*Il ne pourrait* pas conduire?
*Vous ne voudriez* pas sortir?

## 45 L'impératif

| avoir | être | faire | aller |
|---|---|---|---|
| aie | sois | fais | va |
| ayons | soyons | faisons | allons |
| ayez | soyez | faites | allez |

| regarder | manger | commencer | appeler |
|---|---|---|---|
| regarde | mange | commence | appelle |
| regardons | mangeons | commençons | appelons |
| regardez | mangez | commencez | appelez |

| finir | réussir | sortir | venir |
|---|---|---|---|
| finis | réussis | sors | viens |
| finissons | réussissons | sortons | venons |
| finissez | réussissez | sortez | venez |

| devoir | savoir | connaître | attendre |
|---|---|---|---|
| dois | sache | connais | attends |
| devons | sachons | connaissons | attendons |
| devez | sachez | connaissez | attendez |

| | | | |
|---|---|---|---|
| **apprendre** | **descendre** | **partir** | **répondre** |
| apprends | descends | pars | réponds |
| apprenez | descendons | partez | répondez |
| **s'asseoir** | descendez | **perdre** | **réussir** |
| assieds-toi | **dire** | perds | réussissez |
| asseyez-vous | dis | perdons | **rire** |
| **boire** | disons | **plaire** | ris |
| bois | dites | plais | rions |
| buvez | **dormir** | **pouvoir** | **savoir** |
| **choisir** | dors | pouvons | sachez |
| choisis | dormez | pouvez | **sortir** |
| choisissez | **écrire** | **prendre** | sors |
| **comprendre** | écris | prends | sortons |
| comprenons | écrivez | prenons | sortez |
| comprenez | **entendre** | prenez | **tenir** |
| **conduire** | entends | **promettre** | tiens |
| conduis | **envoyer** | promets | tenez |
| conduisez | envoie | promettez | **vendre** |
| **couvrir** | envoyez | **recevoir** | vends |
| couvrez | **lire** | reçois | vendez |
| **croire** | lis | recevez | **venir** |
| crois | lisez | **réfléchir** | viens |
| croyez | **mettre** | réfléchis | venez |
| **découvrir** | mets | réfléchissez | **vivre** |
| découvrez | mettons | **remplir** | vivons |
| **décrire** | **mourir** | remplissez | **voir** |
| décrivez | mourons | **rendre** | voyez |
| **défendre** | **ouvrir** | rends | |
| défendez | ouvre | rendez | |
| | ouvrez | | |

**46**    *Exemples*

*Écoutez* et *répétez*.
*Regardez* la page 12.
*Trouvez* dans le livre cinq exemples.
*Soulignez* les mots.
*Faites* aussi connaissance.
*Venez* nous voir.
*Enregistrez*-les.

*Attends*-moi à huit heures.
*Accompagne*-moi à la gare.

N'*oubliez* pas les verbes.
Ne *partez* pas sans moi.
Ne *pars* pas en voiture.
Ne *fumez* plus.

# Enregistrements

Dans les pages suivantes, vous trouverez le texte complet des dialogues, conversations et exercices qui figurent dans les **cassettes pour la classe.**
Les réponses attendues sont indiquées en *italique* et signalées par ▷.

## Unité 1

**a. Écoutez et repérez les mots français.**

**b. Écoutez et répétez.**

Bonjour.
▷ *la la*
Bonjour Madame.
▷ *la la la la*
Bonjour Monsieur.
▷ *la la la la*
Ça va?
▷ *la la*

Ça va.
▷ *la la*
C'est Marc?
▷ *la la*
C'est Marc.
▷ *la la*
Tu écoutes?
▷ *la la la*

**f. Écoutez et répétez.**

▷ *1, 2, 3, / 1, 2, 3, 4, 5 / 1, 2, 3, 4, 5, 6 / 7, 8, 9 / 1 / 2 / 3 / 4 / 5 / 6 / 7 / 8 / 9 / 10 / 1, 2, 3 / 3, 4, 5 / 5, 6, 7 / 7, 8, 9 / 2 / 4 / 6 / 8 / 10 / 11, 12, 13 / 13, 14, 15 / 15, 16, 17 / 17, 18, 19 / 20 / 11, 12, 13, 14, 15 / 16, 17, 18, 19, 20.*

**i. Écoutez. Un ou une?**

1 un livre / 2 un nom / 3 une page / 4 un mot / 5 une grammaire / 6 un exercice / 7 un exemple / 8 une classe / 9 un bar / 10 un pays.

## Unité 2

**b. Répétez.**

▷ *Vous habitez où? / A Paris? / Qu'est-ce que vous faites? / Toujours secrétaire? / Vous travaillez où? / Toujours biologiste? / Toujours célibataire? / A Marseille?*

**c. Demandez.**

| | |
|---|---|
| Je suis biologiste. | ▷ *Qu'est-ce que vous faites?* |
| J'habite à Strasbourg. | ▷ *Vous habitez où?* |
| Je suis secrétaire. | ▷ *Qu'est-ce que vous faites?* |
| J'habite à Lyon. | ▷ *Vous habitez où?* |
| Je travaille à l'hôpital. | ▷ *Qu'est-ce que vous faites?* |
| | ▷ *Vous travaillez où?* |
| Je suis professeur. | ▷ *Qu'est-ce que vous faites?* |
| J'habite à Genève. | ▷ *Vous habitez où?* |
| Je suis ingénieur. | ▷ *Qu'est-ce que vous faites?* |

**d. Écoutez.**

A Il s'appelle Pierre, il est étudiant, il habite à Nice.
B Elle s'appelle Françoise, elle est secrétaire médicale, elle travaille à l'hôpital Pasteur.

**Trouvez les questions.**

| | |
|---|---|
| Il est étudiant. | ▷ *Qu'est-ce qu'il fait?* |
| Elle travaille à l'hôpital. | ▷ *Qu'est-ce qu'elle fait?* |
| | ▷ *Elle travaille où?* |
| Il s'appelle Pierre. | ▷ *Il s'appelle comment?* |
| Il travaille à Nice. | ▷ *Il travaille où?* |
| Elle s'appelle Françoise. | ▷ *Elle s'appelle comment?* |
| Elle est secrétaire. | ▷ *Qu'est-ce qu'elle fait?* |
| Elle habite à Paris. | ▷ *Elle habite où?* |
| Il habite à Nice. | ▷ *Il habite où?* |

### b. Écoutez.
A La rue Victor Hugo, s'il vous plaît?
B La rue Victor Hugo, je sais pas...

A Vous venez?
B Non, je viens pas.

A Médard, vous comprenez?
B Non, madame, je comprends pas.

A C'est difficile.
B C'est pas difficile.

A Il est malade?
B Non, il est pas malade.

A Elle est Française.
B Non, elle est pas Française.

### c. Répondez.
Vous venez?                      ▷ *Non, je ne viens pas.*
Vous comprenez?                  ▷ *Non, je ne comprends pas.*
Vous parlez arabe?               ▷ *Non, je ne parle pas arabe.*
Vous êtes secrétaire?            ▷ *Non, je ne suis pas secrétaire.*
Vous partez?                     ▷ *Non, je ne pars pas.*
Vous fumez?                      ▷ *Non, je ne fume pas.*

### d et e. Écoutez.
**Dialogue A**
A Vous êtes Espagnole?
B Non.
A Portugaise?
B Non.
A Vous êtes...
B Je suis pas Espagnole, pas Portugaise, je suis Chilienne.

**Dialogue B**
A Do you speak english?
B Yes, I do.
A Lei parla italiano?
B Si.
A Sprechen Sie Deutsch?
B Ja.
A Et français? Vous parlez français?
B Non, je ne parle pas français, je comprends un peu.

**Dialogue C**
A La Fiat, c'est fini?
B Non.
A Alors, après la Fiat, faites le graissage de la Mercedes.
B Je peux pas, j'ai pas le temps.

**Dialogue D**
A Madame Lenoir est là?
B Non, elle n'est pas là.

**Dialogue E**
A Vous avez votre carte de séjour, votre permis de travail?
B Excusez-moi, je ne comprends pas.

**Dialogue F**
A Encore une partie?
B Non.
A Oh, si, encore une.
B Je peux pas, j'ai un rendez-vous. Demain.

### g. Écoutez.
A Garçon ! Garçon !
B Vous désirez?
A Deux salades de tomates et un œuf dur mayonnaise.
B Deux salades de tomates, un œuf dur mayonnaise. Ensuite?
A Une côte de porc et deux filets de bœuf.
B Une côte de porc, deux filets de bœuf, à point? Saignant?
A Saignant.
B Comme boisson?

A Un demi beaujolais et une bouteille d'eau minérale. (...)
A Garçon !
B Monsieur?
A Regardez... Ce n'est pas saignant, c'est à point...
B A point, à point... moi, j'appelle ça saignant... (...)
A Garçon, l'addition !
B L'addition pour le 12 ! (...)
   Voilà monsieur. (...)
A Garçon, il y a une erreur, deux salades de tomates, ça ne fait pas dix-huit francs.
B Excusez-moi. Une minute, s'il vous plaît.

### h. Écoutez et répondez.
Le garçon propose : Du poisson? Vous acceptez : ▷ *Oui, d'accord*. Vous refusez : ▷ *Non, pas de poisson*.
Le garçon propose : Vous voulez de la viande?
Vous acceptez : ▷ *Oui, donnez-moi de la viande*.
Vous refusez : ▷ *Non, pas de viande*.

### i. Répondez.
Du poisson? ▷ *Non, pas de poisson, j'aimerais... de la viande*.
De la bière? ▷ *Non, pas de bière, je voudrais... de l'eau minérale*.
Du vin? ▷ *Oh non ! pas de vin, j'aimerais... de la bière*.
Des légumes? ▷ *Non, pas de légumes, je voudrais... de la salade*.
De la glace? ▷ *Non, pas de glace, j'aimerais... de la tarte*.
Du fromage? ▷ *Non, pas de fromage, je voudrais... des fruits*.
De la tarte? ▷ *Non, pas de tarte, j'aimerais... des fruits*.
Des fruits? ▷ *Non, pas de fruits, je voudrais... de la glace*.

## Unité 4

### d. Écoutez. Mettez une croix en face de la réponse correcte.
A Maryse !
B François ! Salut, tu étais à Paris?
A Oui, quatre jours...
B En vacances?
A Oh ! en vacances ! Tu parles ! Non, j'étais à un congrès...
B C'était à Paris, le congrès de linguistique?
A Oui. L'année prochaine, c'est à Rome.

### e. Écoutez.
A Écoutez, écoutez bien.
B En octobre, Caroline est arrivée à Londres dans le but de suivre des cours.
A Compris? Oui? Bravo !
   Pas compris? Non? On continue.
B Caroline venait à Londres pour apprendre l'anglais.
A Écoutez encore une fois.
B En octobre, Caroline est arrivée à Londres dans le but de suivre des cours. Elle venait à Londres pour apprendre l'anglais.

A Écoutez maintenant le dialogue. Écoutez bien. Écoutez tout.
C Oh ! Écoute, ça me rappelle...
D Ah, mais c'est vrai, tu as fait du piano, toi.
C Oui, j'ai fait du piano, surtout du jazz, j'ai joué dans un bar pendant quatre ans, quand j'étais étudiant.
   J'ai joué ça tellement souvent...
D Mais tu es resté longtemps à Paris?
C Cinq ans, j'ai quitté Paris en 1954. C'était le bon temps...

### f. Écoutez.
A Vous aimez vivre à Dijon?
B J'aime bien.
C Vous ne regrettez pas Marseille?
B Non... enfin... si... en hiver.
A Vous voulez encore un café?
B Non, merci.
C Alors un cognac?

B Volontiers.

C Dites, Michaud, on pourrait se tutoyer, non?

B Ah, moi, je suis d'accord.

C Allez, on se dit tu. A ta santé, Michel !

B A ta santé !

A Michel, je m'appelle Isabelle, on se dit tu, nous aussi?

B D'accord. On se dit tu.

Et vous? Est-ce que vous voulez aussi vous dire « tu »?

### i. Répétez.

▷ *Pédagogie / Astronomie / Chimie / Mélodie / Philosophie / Sociologie / Botanique / Linguistique / Physique / Mécanique / Musique / Technique / Socialisme / Capitalisme / Communisme.*

### Maintenant, trouvez le mot dans votre langue.

▷ Pédagogie / Sociologie / Mélodie / Philosophie /
▷ Linguistique / Physique / Musique / Technique /
▷ Socialisme / Capitalisme / Communisme.

### j. Lisez et écoutez.

Karl Marx écrivait le manifeste communiste. Il pensait à la transformation de l'argent en capital, à la lutte pour la journée de travail normale. Depuis quelques semaines, il répétait souvent :
Sans consommation, pas de production, sans production, pas de consommation.
Le soir, fatigué, il jouait du violon.

## Unité 5 — Et maintenant, faites le point.

### N° 4. Écoutez. Qui parle?

A Jacques ! La Fiat, c'est fini?

B Non.

A Alors, après la Fiat, faites le graissage de la Mercedes.

B Je peux pas, j'ai pas le temps.

### N° 5. Écoutez les prévisions. Indiquez la bonne carte.

A A vous, Michel Dale, pour les prévisions météorologiques.

B Demain matin, beau temps et soleil sur toute la France. L'après-midi, des nuages et un peu de pluie dans le nord et l'est. La température reste la même, 20 degrés au sud, 15 degrés au nord.

### N° 8. Répétez.

▷ *Ça va? Ça va. / Ça va bien? Ça va bien. / D'accord? D'accord. / A demain? A demain. / A Paris? A Paris. / Seul? Seul. / A l'école? A l'école. / On se dit tu? On se dit tu.*

## Unité 6

### e. Écoutez.

A Grégoire, neuf ans, a remporté le cent mètres nage libre. Grégoire, quel est ton secret?
J'ai pas de secret, je m'entraîne, je nage beaucoup, tous les jours et bien sûr, je bois du lait, beaucoup de lait.

B La bicyclette, c'est bon pour la santé.
Oui, mais pas n'importe quelle bicyclette. Venez nous voir, nous vous montrerons des modèles sensationnels, à des prix fantastiques. Nous avons des modèles pour tous, pour les petits, pour les grands, des bicyclettes à cinq vitesses, dix vitesses...

C Attention ! Une offre spéciale.
La Renault spéciale, l'offre à ne pas manquer : 28 490 francs.
Économie : elle roule à l'essence ordinaire.
Confort : appuie-tête sur tous nos modèles.
Garantie : douze mois pièces et main-d'œuvre.
Sécurité : pare-chocs boucliers.

28 490 F, c'est pour rien. Dépêchez-vous de vous rendre chez votre concessionnaire.

D La mer, la mer, la mer et vous, vous dans votre villa sur la Méditerranée. Venez nous voir, votre villa sur la mer vous attend, elle est prête pour vous.
Pierre Bourdel vous attend, 122 Champs-Élysées, Paris 8ᵉ.
Crédit quatre-vingts pour cent.
Votre villa vous attend, mais vous, n'attendez pas !

### Écoutez encore une fois et indiquez le numéro de la publicité correspondante de la page 50.

### i. Écoutez et relevez les mots importants.

Attention ! Messieurs les voyageurs sont informés que le train Paris Lutétia pour Dijon, Vallorbe, Lausanne, Genève partira à 17 h 25 du quai numéro 12. Nous répétons. Attention ! Départ du Lutétia 17 h 25, quai 12.

### j. Écoutez.

1 A Madame Dulac, vous avez dessiné votre maison, décrivez-la pour nos téléspectateurs.

B Ma maison, eh bien, c'est une grande maison, je la vois avec beaucoup d'ouvertures, oui, il y a beaucoup d'ouvertures, beaucoup de portes, beaucoup de fenêtres. J'aimerais une maison à la campagne avec... avec un grand jardin et des arbres. Je voudrais une maison confortable, aussi. Beaucoup de pièces, chacun a sa chambre et aussi j'aimerais... Ah, oui ! j'aimerais la chambre des enfants à côté de la chambre des parents. Oui. En tout cas, ma maison, je la vois à la campagne, oui, j'aimerais vivre à la campagne.

2 A Et vous, monsieur Vallin?

C Moi, je voudrais pas vivre à la campagne, moi, j'aime mieux vivre en ville, mais pas dans une grande ville, non, moi j'aimerais vivre dans une petite ville, enfin pas trop petite, enfin, heu, oui...

A Et la maison?

C Oh ! la maison... J'aimerais vivre dans une maison collective pour trois ou quatre familles. Ce que je voudrais, c'est une maison ouverte, une maison-rencontre; alors, je vois, il y a une grande terrasse, oui, une terrasse, sur le toit par exemple, une terrasse ouverte à tout le monde, aux gens du quartier aussi, pour se rencontrer et, aussi une salle de sport, une piscine et... mon appartement, je le vois au deuxième étage, pas au rez-de-chaussée, non, au deuxième.

3 A Elle est très spéciale, madame Girard, votre maison...

D Oui.
Ma maison, ah ! ma maison, c'est une grande maison, mais ce n'est pas une maison carrée ou rectangulaire, je voudrais, moi, je voudrais vivre dans une maison ronde, toutes les pièces rondes, je voudrais une grande pièce, très grande pour vivre ensemble, toute la famille, quoi, et les amis et puis, des... les chambres bien séparées, les chambres des enfants pas à côté de la chambre des parents, non, pas à côté. Les chambres des enfants, je les vois, c'est, enfin des chambres très grandes, des vraies chambres pour jouer, pour travailler et puis autour de la maison, je vois des arbres, beaucoup d'arbres, tous différents.

## Unité 7

### b. Écoutez.
### Quelle musique aimez-vous? Pourquoi?

### c. Écoutez et indiquez le numéro du schéma correspondant.

### Dialogue A

A Les chômeurs, vous voulez que je vous dise, eh bien moi, je pense qu'ils ne veulent pas travailler.

B Alors là ! je suis d'accord avec vous.

## Dialogue B

A Le chômage, actuellement, c'est le plus gros problème de notre société.

B Ah, non ! Le problème le plus grave pour moi, c'est le problème de la guerre, c'est la guerre ou la paix dans le monde.

A Vous ne pouvez pas comprendre, vous avez du travail. Tiens, moi, j'aimerais mieux la guerre que d'être chômeur.

## Dialogue C

A Ça fait deux ans que je suis chômeur. Au début, je trouvais que c'était pas si terrible et même je me sentais bien, libre comme un gosse en vacances. A présent, je trouve que c'est, c'est pas, enfin, c'est pas normal, le chômage. C'est pire que, tiens, pire que la maladie.

B A votre avis, pourquoi?

C Parce qu'on se sent, parce qu'on est inutile.

## f. Répétez.

▷ *Le tennis... sensationnel ! / Les chats... j'adore ! / Je suis fou des Beatles ! / Moi, j'adore la guitare ! / Je trouve que le judo, c'est formidable. / Je trouve que le chômage, c'est terrible. / Faire du sport, ça ne m'intéresse pas. / La musique classique... bof ! / Moi, j'aime pas du tout les animaux.*

## h. Écoutez et lisez.

A Vous partez quand?

B On part demain. Et toi?

A Nous, on part ce soir.

B Tu sais, après une journée de travail, rouler toute la nuit, c'est dangereux... et... tu pars avec cette voiture?

A Cette voiture, cette voiture... Qu'est-ce qu'elle a, cette voiture?

## k. Écoutez. Répondez aux questions.

A Alors, monsieur Brun, ça y est, c'est le grand départ?

B Oui, on part demain, demain matin.

A Et vous rentrez quand?

B On rentre dans un mois.

A Alors, bonnes vacances.

B Merci !

# Unité 8

## h. Écoutez.

### Dialogue 1

A Extraordinaire !

B Quel punch ! Il y a longtemps que j'ai pas vu un si beau match.

A Regarde, voilà René. Salut ! Quel match, hein?

B Ça, c'est de la boxe !

### Dialogue 2

A C'est libre, Madame?

B Oui.

A Merci. Quel temps ! (...)

B Garçon ! l'addition.

A Vous avez vu dans le journal, cette catastrophe en Italie?

B Non.

A Mais... C'est là, dans votre journal en première page.

### Dialogue 3

A Pardon monsieur, on arrive bien à 20 heures.

B 20 h 03, Madame.

A J'espère que ma fille sera à la gare. (...)

A Vous voyez, moi, maintenant, j'ai peur... je ne prends plus jamais le métro seule le soir, il n'y a plus de sécurité.

B Vous avez raison.

A Remarquez, je pourrais prendre un taxi, mais avec ma valise...

B Je vous aiderai... Mais je suis sûr que votre fille sera à la gare.

A Vous êtes bien aimable. Maintenant c'est si rare... (...)

A Je vois que vous travaillez... Je vous dérange?

B Mais non, mais non.

### Dialogue 4

A Tu as aimé?

B Ah ! oui, beaucoup.

A L'actrice, elle est belle, hein? J'adore Romy Schneider. Mon Dieu, ce qu'il fait froid. (...)

B Elle joue bien.

A Qui?

### Dialogue 5

A Ça va?

B Ça va.

A Beaucoup de travail?

B Trop.

A Tu ne trouves pas qu'il fait froid?

B Le lundi, il fait toujours froid.

A Vivement vendredi !

### Dialogue 6

A Vous cherchez quelque chose?     B ...

A Vous êtes étrangère?     B...

A Vous ne parlez pas?     B...

A Le tennis, vous aimez?     B Non.

# Unité 9

## c. Écoutez.

A Qu'est-ce que c'est, cette photo?

B Montre. Ah !... Cette photo, je l'adore, j'avais dix ans, c'était à Hossegor... Tu me reconnais?

A Attends. Là. Oh, non, c'est pas toi... Là... C'est toi, le petit avec...

B Là, ce n'est pas moi, c'est Michel.

A C'est Michel?

B Oui, tu ne le reconnais pas?

A Si... un peu, enfin... Ah, ça y est, là, c'est toi, je te reconnais.

B Enfin !

A Et lui, là, le grand avec un air intelligent, qui c'est?

B Lui? C'est Jean-François... Dis, tu m'aimes?

A Oui, je t'aime. Je t'adore.

## e. Répondez.

Enfin, attends-moi !    ▷ *Oui, je t'attends.*

Enfin, écoute-moi !    ▷ *Mais oui, je t'écoute.*

Enfin, regarde-moi !    ▷ *Oui, je te regarde.*

Enfin, crois-moi !    ▷ *Oui, je te crois.*

Enfin, accompagne-moi !    ▷ *Oui, je t'accompagne.*

Enfin, présente-moi.    ▷ *Oui, je te présente.*

### Répondez.

Alors, tu m'attends?    ▷ *Mais oui, je t'attends.*

Alors, tu m'accompagnes?    ▷ *Mais oui, je t'accompagne.*

Alors, tu m'aimes?    ▷ *Mais oui, je t'aime.*

Alors, tu m'aides?    ▷ *Mais oui, je t'aide.*

Alors, tu m'écoutes?    ▷ *Mais oui, je t'écoute.*

Alors, tu me crois?    ▷ *Mais oui, je te crois.*

Alors, tu m'emmènes?    ▷ *Mais oui, je t'emmène.*

Alors, tu me reconnais?    ▷ *Mais oui, je te reconnais.*

## g. Écoutez et notez.

1 Chers auditeurs, aujourd'hui, nous vous proposons la recette d'un dessert délicieux et facile à faire, la mousse au chocolat. Même les enfants la réussissent. Cette recette est pour six personnes. Il vous faut :
200 grammes de chocolat,
6 œufs,
un peu de sel.

C'est tout. Non, ce n'est pas tout, il faut encore quatre cuillerées à soupe d'eau...

Vraiment économique, ma recette d'aujourd'hui, n'est-ce
pas?

Comment faire la mousse? Rien de plus simple. Faites fondre
le chocolat avec l'eau sur un feu très doux, attention, pas trop
fort, le feu.

Séparer les jaunes des blancs d'œufs, ajouter le sel dans les
blancs et les battre en neige.

Versez les jaunes d'œufs dans le chocolat, ajoutez les blancs.
Attention, ajoutez délicatement.

Mettez au réfrigérateur trois heures.

Je répète ce qu'il vous faut. Notez bien :

— 200 grammes de chocolat,
— 6 œufs,
— un peu de sel,
— 4 cuillerées à soupe d'eau.

A la semaine prochaine !

**2** Si vous voulez obtenir la recette par écrit, demandez-la à
l'adresse suivante :

La bonne cuisine — 144, avenue Parmentier — 13008
Marseille.

Je répète l'adresse.

**3** Pour nous, c'est le meilleur disque de Charlebois.

Nous vous en rappelons les références : RCA KDL 64 10 2

**4** A  Allô?

B  Bonjour Madame. Ici, Bablet, est-ce que je pourrais parler
à monsieur Godard?

A  Mon mari n'est pas là, est-ce que je peux lui transmettre
un message?

B  Je le rappellerai, enfin, non, est-ce que vous pourriez lui
demander de bien vouloir rapporter...

A  Attendez, je vais noter. Bon, je n'ai pas de crayon,
excusez-moi un instant... Allô? Vous êtes là?

B  Oui, c'est...

A  Je vais noter votre nom, c'est monsieur?

B  Bablet, B.A.B.L.E.T.

A  Bablet, d'accord, il s'agit de?...

B  Euh... J'ai prêté un dossier à votre mari il y a un mois, un
dossier technique sur le chauffage solaire, j'aimerais...

A  Attendez, je note. Un dossier sur le chauffage solaire,
d'accord, je dirai à mon mari de vous l'envoyer.

B  Est-ce qu'il pourrait le déposer à mon bureau? Demain par
exemple?

A  Écoutez, le plus simple, je dirai à mon mari de vous téléphoner ce soir. A quelle heure?

B  Huit heures.

A  Huit heures, c'est parfait. Bon, je résume : mon mari doit
vous rapporter un dossier sur le chauffage solaire et vous
appellera ce soir.

B  C'est très aimable de votre part. Au revoir, Madame.

A  Au revoir, Monsieur.

**h. Écoutez. Vous aimez?**

(Vivaldi — Collegium musicum de Paris)

## Unité 10

**a. Écoutez.**

*Mlle Bu :* Je me lève à six heures, six heures un quart tous les
matins... euh, je prends tranquillement le petit déjeuner, je
joue avec le chien, c'est toujours l'occupation du matin, et
après ça, je prends mon bain. Enfin je m'habille et je pars de
la maison vers, euh, sept heures, sept heures dix et je suis à
peu près à dix kilomètres deu... dix minutes de la gare et je
prends le train à sept heures vingt-six. J'arrive à Austerlitz, à
la Gare d'Austerlitz, euh, vers neuf heures moins dix et je
prends le... le train d'Orsay, c'est un qui m... m'emmène à la
Gare d'Orsay qui est tout près de la Place de la Concorde, de
l'autre côté des Tuileries si vous connaissez un petit peu.

*Journaliste :* Oui.

*Mlle Bu :* Et là j'ai pour à peu près dix minutes, un quart
d'heure à pied traversant les Tuileries. Ça c'est joli le matin et
on voit Paris, euh, on traverse la Seine, c'est... c'est assez
romantique et je travaille. J'arrive un petit peu en retard au
bureau vers neuf heures un quart. Je travaille au bureau jusqu'à midi et nous avons une heure pour déjeuner et nous
reprenons à une heure, jusqu'à six heures du soir. A six
heures, je repars tranquillement en traversant les... les jardins
des Tuileries et, euh, parce que de prendre le métro par
exemple à la Concorde à six heures du soir c'est une chose
impossible, c'est... il y a énormément de monde; il y a absolu-
ment aucune place dans le métro, on est serré, c'est pas
agréable du tout. Et je repars à pied jusqu'à la Gare d'Orsay et
je reprends le train jusqu'à la Gare d'Austerlitz. Je rechange
de train et j'arrive ici à mm... huit heures un quart. On vient
me chercher en voiture et je rentre dîner et voilà. Et maintenant vous me trouvez. Voilà ce que... la journée de travail qui
est.

*Journaliste :* Ah oui, ah oui, et vous n'avez pas de... de soirée
vraiment alors?

*Mlle Bu :* Non. C'est ça le le plus ennuyeux, c'est, euhm,
finalement à Paris je n'ai pas beaucoup de temps de sortir
parce que je dois attrap... prendre mon train, euh, donc j'ai
pas le temps de voir beaucoup d'amis ou alors il faut que je
reste à Paris coucher, euh, chez une de mes sœurs qui... qui
habite là-bas et le soir si je veux sortir ici à Orléans, c'est un
peu tard parce que on n'est jamais libre avant neuf heures et
ss... oh se coucher à minuit pour se lever à six heures, on
peut le faire de temps en temps mais pas tous les jours.

*Journaliste :* Non, non, vraiment.

*Mlle Bu :* Ça c'est assez fatigant.

(Extrait de : Biggs et Dalwood, *Les Orléanais ont la parole*,
Langenscheidt-Hachette, © Longman.)

**d. Écoutez. Relevez des expressions de temps et
de lieu.**

Mademoiselle Bu se lève tous les matins à six heures. Elle
prend son bain tranquillement et part de la maison vers sept
heures. Elle habite à peu près à dix minutes de la gare où elle
prend le train de sept heures vingt-six. Quand elle arrive à
Paris, à la Gare d'Austerlitz, il est neuf heures moins dix. Elle
arrive à son bureau qui est tout près de la place de la
Concorde vers neuf heures un quart. Elle reste au bureau
jusqu'à midi et ensuite va déjeuner au restaurant. A six heures
du soir, sa journée finie, elle repart tranquillement en traversant les jardins des Tuileries. Elle sera chez elle, le soir, à huit
heures et quart.

De temps en temps, quand mademoiselle Bu a envie d'aller au
théâtre, elle reste chez sa sœur qui habite à Paris.

## Unité 10 — **Et maintenant faites le point.**

### **N° 1. Écoutez.**

(Même texte que Unité 4.e, à partir de « Oh ! écoute... »)

## Unité 11

**b. Écoutez et répondez.**

J'adore la mousse au chocolat. Et vous?
Moi, j'aime la cuisine française. Et vous?
Je trouve que fumer, c'est dangereux. Et vous?
J'aimerais travailler 35 heures par semaine. Et vous?
Je préfère la musique classique. Et vous?
Je trouve que les exercices sont très faciles. Et vous?
Je préférerais prendre mes vacances en hiver. Et vous?
J'adore le tennis. Et vous?

**c. Écoutez.**

**Dialogue 1**

A  Tu as vu l'heure? Il est bientôt une heure du matin. Je vais
me coucher. Tu viens?

B  Oui, je viens tout de suite. Tu l'as trouvé comment, Ber-
trand, ce soir?

A  Idiot, vraiment idiot. Je ne sais pas ce qu'il avait.

B Moi aussi, je l'ai trouvé bizarre. Quant à François...

A Alors lui, il m'a étonné, d'habitude, il parle, il parle sans arrêt, ce soir, il n'a pas dit un mot.

### Dialogue 2

A Tiens, j'ai vu Alexandre ce matin, il a vieilli, c'est incroyable !

B Ah bon, il y a longtemps que je ne l'ai pas vu, Alexandre. (...)

B Tu as revu Alexandre dernièrement?

C Pas dernièrement, pourquoi?

B Marie l'a vu hier. Il paraît qu'il est très malade.

C Tu sais, il a toujours été malade.

### Dialogue 3

A Comment ça va, Philippe?

B Bien, et toi?

A Ça va, à part le temps.

B Y'en a marre du temps.

A Tiens, voilà Godard... Tu le connais?

B Un peu. Je croyais qu'il avait acheté un garage. Il travaille ici?

A Tu ne sais pas? Son garage a fait faillite au bout de trois mois.

B C'est pas facile, en ce moment et...

A C'est pas ça... Godard, tu comprends, ça devait arriver avec un homme comme lui, il n'a pas le sens des affaires.

### Dialogue 4

A Vous savez, la nouvelle secrétaire est arrivée.

B Elle est comment?

A Moi, je la trouve bien, elle a l'air sympathique. Attention, la voilà !

B C'est elle? Mais je la connais. Avant, elle était chez Ducrot. Elle ne reste pas six mois dans une place.

### Dialogue 5

A Tu ne sais pas ce que j'ai appris? On a cambriolé Christine Meyrac.

B Qu'est-ce qu'on lui a volé?

A Elle dit qu'on lui a volé ses bijoux.

B Ses bijoux ! Elle n'a pas de bijoux, Christine.

# Unité 12

### b. Écoutez.

A Bonjour Monsieur, Madame, Mademoiselle.

B Bonjour, Monsieur.

A J'ai mal aux pieds, au ventre, à la tête...

B Vous avez mal où... exactement?

A J'ai mal aux pieds, au ventre...

B Une seconde, c'est aux pieds, c'est au ventre, c'est à la tête que vous avez mal?

A C'est... là.

### d. Écoutez.

#### 1. A la banque

A J'aimerais changer des chèques de voyage.

B Donnez-moi votre passeport. Vous avez une résidence en France?

A Euh...

#### 2. Dans la rue

A Pouvez-vous me dire où est la poste, s'il vous plaît?

B La poste? C'est très facile, vous prenez la... non non, euh, c'est mieux si vous allez tout droit, oui, oui, d'abord tout droit et puis après, euh, voyons, vous allez tout droit, à peu près cent mètres, et puis vous tournez à gauche, à gauche, hein parce que si vous tournez à droite... enfin, à droite, c'est la gare. Donc, tournez à gauche et là, vous demandez...

A ?

#### 3. Au garage

A S'il vous plaît, pouvez-vous contrôler la pression des pneus?

B Et puis quoi encore? Vous croyez que j'ai que ça à faire? Faites-le vous-même, parce que moi, j'ai pas le temps. L'appareil est là-bas.

#### 4. A la pharmacie

A J'aimerais quelque chose contre les douleurs, j'ai mal au dos.

B C'est du rhumatisme, avec le temps qu'il fait, c'est pas étonnant. Prenez ça trois fois par jour, deux comprimés, n'est-ce pas, vous en prenez deux avant les repas, vous avez compris? Avant et jamais à jeun. Si ça ne va pas mieux, il faut consulter un médecin. C'est tout ce qu'il vous faut?

### e. Écoutez.

A C'est du rhumatisme, avec le temps qu'il fait, c'est pas étonnant. Prenez ça trois fois par jour, deux comprimés, n'est-ce pas, vous en prenez deux avant les repas, vous avez compris? Avant et jamais à jeun. Si ça ne va pas mieux, il faut consulter un médecin. C'est tout ce qu'il vous faut?

B Monsieur, pouvez-vous parler plus lentement? Je n'ai pas compris.

A Vous n'avez pas compris? Vous êtes étranger? Bon, regardez : trois, un, deux, trois. Trois fois par jour : le matin, à midi, le soir. Chaque fois, vous prenez deux comprimés, d'accord? Donc, vous en prenez deux avant, avant de manger, il faut man-ger, toujours manger quelque chose. Compris? Bon. Si jeudi, vous, vous avez encore mal, alors... allez chez le médecin, le docteur. Compris?

B Compris. Merci beaucoup, Monsieur.

### g. Écoutez.

(Queneau, « Il pleut », dans *Les Ziaux*.)

### h. Lisez, écoutez.

(Extrait de Apollinaire, « Le Pont Mirabeau », dans *Alcools*.)

### k. Répondez.

Tu veux de l'eau minérale?

▷ *Non merci, je n'aime pas l'eau minérale.*

Et si tu buvais un jus d'orange?

▷ *Non merci, je n'aime pas le jus d'orange.*

Prends un verre d'eau.

▷ *Non merci, je n'aime pas l'eau.*

Bois un verre de limonade.

▷ *Non merci, je n'aime pas la limonade.*

Prends un jus de tomate.

▷ *Non merci, je n'aime pas le jus de tomate.*

Tu veux un peu de bière?

▷ *Non merci, je n'aime pas la bière.*

Et si tu prenais un coca-cola?

▷ *Non merci, je n'aime pas le coca-cola.*

Alors, bois un verre de lait !

▷ *Non merci, je n'aime pas le lait.*

# Unité 13

### f. Écoutez différents accents français.

1 « La Bourgogne, c'est un petit peu comme un très bel œuf de Pâques en chocolat, qui est ceint d'un petit ruban doré; eh bien, le petit ruban doré, c'est à peu près le vignoble en Bourgogne et l'œuf de Pâques, c'est l'autre Bourgogne dont on ne parle, à mon avis, pas assez souvent, parce que c'est

bien fâcheux que les gens s'imaginent qu'en Bourgogne, il ne vient que du vin. »
(Extrait de « En passant par... la Bourgogne » — Hachette)

**2** « Comment choisit-on un bon camembert?
— Un bon camembert doit être roux autant que possible, bien mollet, plutôt élastique. Il doit s'enfoncer au doigt mais revenir à sa position normale, on doit pas sentir de noyau dur à l'intérieur, on doit avoir l'impression, quand on le presse dans la main, que c'est un morceau de caoutchouc et qui revient bien... qui... donne à peu près la certitude qu'il est à point. »
(Extrait de « En passant par... la Normandie » — Hachette)

**3** « Là, vous allez rencontrer des vieux, par exemple, eh bien, il serait étonnant qu'ils aient pas une histoire formidable à vous raconter. Interrogez-les ! Parlez ! Ils seront contents de faire la conversation pendant qu'ils prennent le frais, ils ont que ça à faire.
(...)
N'hésitez pas ! Parlez !
En Provence, les gens adorent parler et puis souvent ils parlent pas pour rien dire. (...)
C'est un jeu qui est recommandé par les docteurs et je crois que beaucoup de ceux qui y sont venus s'apercevront que les jours où ils jouent aux boules, ils dorment beaucoup mieux la nuit. »
(Extrait de « En passant par... la Provence du littoral » — Hachette)

# Unité 14

### f. Écoutez.

**Première conversation**

A Bonjour.
B Bonjour, madame.
A Pour quelle raison êtes-vous venu à Paris?
B Je viens faire de la recherche.
A Ah, et ça vous intéresse?
B Oui, c'est tout à fait intéressant.
A Et malgré tout, vous ne regrettez pas trop le Canada et la vie canadienne?
B Ben, par moments, oui, mais étant donné que c'est un passage, enfin qui est temporaire, finalement, ça se passe assez bien. Je sais que je vais retourner dans un an ou en fait un à deux ans, donc j'essaie de tirer profit le plus possible de mon passage en France, puis, euh... dans cette optique-là, en fait, c'est tout à fait plaisant d'être ici.
A Dans quel ordre d'idée? Est-ce que vous faites du tourisme, est-ce que vous allez au théâtre, est-ce que...
B Oui, évidemment, j'essaie de... j'essaie de profiter le plus possible de la vie à Paris, c'est-à-dire, évidemment, il y a le théâtre, il y a le cinéma, il y a les concerts, enfin, il y a une vie culturelle donc qui est extrêmement développée et j'essaie aussi de faire du tourisme. Donc, j'essaie dans la mesure du possible, enfin, les fins de semaine ou quand j'ai des congés de sortir un petit peu de Paris, d'aller me balader, quoi... C'est, c'est plus facile en fait de... de... de voyager facilement, en fait dans la mesure où les pays sont moins éloignés qu'au Québec ou qu'au Canada, c'est plus facile donc de... de faire plusieurs pays.

**Deuxième conversation**

A Bonjour.
B Bonjour.
A Est-ce que je peux vous demander pour quelle raison vous êtes venue à Paris?
B Je suis venue à Paris seulement pour les études.
A Et vous en êtes contente?
B Non... parce que... je suis impressionnée par le domaine de l'enfance. Arrivée à Paris, on m'a demandé de m'inscrire une année dans l'établissement... étant...
A Une année d'avance?
B Une année d'avance, étant arrivée en janvier, j'ai donc perdu cette année. L'année prochaine, je vais m'inscrire et je commencerai les études qu'en 83-84.

A Et est-ce que vous avez pu profiter de ce temps libre pour visiter un peu Paris ou visiter un peu la France?
B Non, le fait que j'ai été déçue par les études, j'ai préféré ne même pas connaître Paris. Je veux d'abord avoir ce que je suis venue chercher, après, s'il faut visiter Paris, j'aurai le temps de penser à ça.
A Et vous avez pu faire la connaissance de Français?
B Non, non, pas du tout.
A Alors, vous devez regretter beaucoup de choses de votre pays. Qu'est-ce qui vous manque particulièrement?
B Particulièrement, ce qui me manque, c'est mes parents. Rester ici longtemps, ça m'empêchera de connaître beaucoup de choses de ma famille, surtout de mon pays.

**Troisième conversation**

A Bonjour.
B Bonjour.
A Il y a longtemps que vous êtes à Paris?
B A Paris, depuis 66.
A Alors, vous êtes une vraie Parisienne?
B Hon... presque, je voudrais bien.
A Et vous ne regrettez pas trop la Belgique?
B Oh, vous savez, la Belgique n'est pas bien loin. Nous sommes vraiment tout à fait voisins, alors, on va, on vient, on passe des week-ends aussi bien en Belgique que dans la province française, pour moi, c'est exactement la même chose.
A Ah, vous ne trouvez pas une différence de mentalité?
B De mentalité, peut-être si... encore, y'a encore une petite différence; la Belgique est une... un petit pays... la Wallonie dont je suis issue est très petite et on a peut-être encore gardé là-bas l'esprit province, qu'on retrouve en France, qu'on trouve plus du tout à Paris.
A Bien sûr...
B Y'a autre chose à Paris, beaucoup, beaucoup d'autres choses, mais enfin, cet esprit un petit peu de clocher, un petit peu villageois, on le retrouve très facilement en Belgique, surtout dans le coin où je suis née, à Liège. A Paris, c'est pas la même chose. Enfin, Paris est une grande ville, j'ai pas besoin de vous le dire.
A Et est-ce que vous avez rencontré, enfin, fait des rencontres...
B Oh, oui...
A Intéressantes, de familles françaises?
B Beaucoup, beaucoup...
A Est-ce que vous avez l'impression d'être intégrée?
B Ah oui, tout à fait. Tout à fait intégrée dans les familles françaises, je n'ai pas eu beaucoup de mal... parce que les Wallons sont tout à fait francophones, comme vous le savez. Et les Français accueillent, je crois, les Belges très très bien, enfin, c'est toujours l'impression que ça m'a donnée, je n'ai jamais senti une très grosse différence entre la Belgique et la France, je dois dire, franchement non.
A Vous vous sentez chez vous?
B Tout à fait, oui, oui, oui.

### g. Écoutez et lisez.

(Voir texte page 117.)

# Exercices personnels

## Contenu et autocorrection

Dans les pages suivantes, vous trouverez, dans l'ordre des exercices :
1° les réponses à tous les exercices personnels, signalées par ▷ ,
2° le texte qui figure sur la **cassette pour l'élève**, lorsque l'exercice est enregistré. Le numéro de l'exercice est précédé du signe ✿ et les réponses attendues sont alors indiquées en *italique* et signalées par ▷ .

✿ **1** ▷

|  | 1 | 2 | 3 | 4 | 5 | 6 | 7 | 8 | 9 | 10 |
|---|---|---|---|---|---|---|---|---|---|---|
| français |  | x |  |  | x | x |  |  | x | x |
| pas français | x |  | x | x |  |  | x | x |  |  |

✿ **2** Voir enregistrement **Unité 1. f.**

**3** ▷ 1 regardez la page / 2 écrivez l'exercice / 3 écoutez – regardez / 4 regardez – répétez / 5 trouvez / 6 écrivez – comprenez / 7 regardez / 8 regardez.

**4** ▷ Le Maroc / le Sénégal / le Canada / le Japon / le Mexique / la Suisse / la Suède / la Chine / la Tunisie / l'Allemagne / l'Espagne / l'Angleterre / l'Algérie / les États-Unis / la Hollande /...

✿ **5** Voir enregistrement **Unité 2.b.**

✿ **6** **Écoutez deux fois et remplissez la fiche.**

A Madame Murphy? Entrez… Bonjour, madame.
B Bonjour, madame.
A Je vous en prie, asseyez-vous.
 Vous êtes Madame Murphy… M…
B M.U.R.P.H.Y.
A Murphy. Votre prénom?
B Mary.
A Mary. Vous êtes américaine? Anglaise?
B Canadienne.
A Quel âge a…?
B Trente ans.
A Vous travaillez?
B Oui.
A Qu'est-ce que vous faites?
B Je suis infirmière.
A Vous travaillez où?
B A l'hôpital Pasteur.
A Et votre adresse privée?
B Privée?
A Oui, votre adresse privée, personnelle, où vous habitez, vous habitez où?
B J'ai compris… J'habite 19, rue Victor Hugo.
A 19, rue Victor Hugo.

▷

| Nom : | *Murphy* |
|---|---|
| Prénom : | *Mary* |
| Nationalité : | *canadienne* |
| Age : | *30 ans* |
| Profession : | *infirmière* |
| Adresse privée : | *19, rue Victor Hugo* |
| Adresse professionnelle : | *Hôpital Pasteur* |

7 ▷ – Monsieur de 40 ans, riche, divorcé, intelligent cherche dame.
– 25 ans, très doux, brun, mince, romantique et bon désire rencontrer dame 40 ans.

⊗ **8 Trouvez les questions.**

| | |
|---|---|
| Elle est étudiante. | ▷ *Qu'est-ce qu'elle fait?* |
| Il travaille à l'hôpital. | ▷ *Qu'est-ce qu'il fait?* |
| Elle s'appelle Françoise. | ▷ *Elle s'appelle comment?* |
| Elle travaille à Nice. | ▷ *Elle travaille où?* |
| Il s'appelle Pierre. | ▷ *Il s'appelle comment?* |
| Il est secrétaire. | ▷ *Qu'est-ce qu'il fait?* |
| Il habite à Paris. | ▷ *Il habite où?* |
| Elle habite à Nice. | ▷ *Elle habite où?* |

9 ▷ 1 Quel cinéma? / 2 Quelle station? / 3 Quelle gare? / 4 Quelle pharmacie? / 5 Quel hôpital? / 6 Quel secrétariat?

10 ▷ Il fait / elle est / elle habite / elle a / il va / il trouve / elle comprend / il lit / elle descend / il cherche.

11 ▷ 1 Ne pas fumer. / 2 Il n'a pas treize ans. / 3 Je ne suis pas anglais. / 4 Le ministre est aux États-Unis. / 5 Je ne sais pas.

⊗ **12** Voir enregistrement Unité 3. c.

⊗ **13 Répétez.**

▷ *Je ne sais pas, je suis pas Française. / Excusez-moi, je comprends pas. / Je parle pas anglais. / Je peux pas, j'ai un rendez-vous. / Madame Lenoir, elle est pas là. / Excusez-moi, j'ai pas le temps. / Non merci, je fume pas. / Mais non, c'est pas difficile.*

14 ▷ 1 Non, je ne fume pas. / Si, je fume.
2 Non, il n'est pas malade. / Si, il est malade.
3 Non, je ne viens pas. / Si, je viens.
4 Non, elle n'est pas à l'hôpital. / Si, elle est à l'hôpital.
5 Non, je n'ai pas le temps. / Si, j'ai le temps.

---

## Unité 3 — Et maintenant, faites le point.

j3 ▷

| | |
|---|---|
| Il explose | exploser |
| On connaît | connaître |
| Ils partent | partir |
| Ils sont | être |
| Elle perd | perdre |
| Il répond | répondre |
| Elle a | avoir |
| Elle boit | boire |

2 nouveau / 3 grande / 4 magique / 5 magnifique / 6 petite / 7 beau / 8 chaude / 9 sportive.

l3 Le livre / le Canada / la France / l'hôtel / l'étudiant / la réponse / les légumes / le vin / les clients / le lexique / l'Italie / les États-Unis / le cinéma / l'école / la question / le fromage / l'eau / les rues.

m3 Demandez à votre voisin. Trouvez les questions. Relevez les adjectifs. Cherchez les mots dans le lexique.

n3 Vous habitez où? Vous travaillez où? Qu'est-ce que vous faites? Vous partez à quelle heure?

---

⊗ **15 Écoutez. Quels dessins (A ou B) correspondent au dialogue?**

A Qu'est-ce que tu as fait ce week-end?
B Je suis allé à Monte-Carlo.
A A Monte-Carlo? En voiture?
B Non, en train.
A C'était bien?
B Formidable.

A Tu es allé au casino?
B Au casino? Avec les enfants ! On a visité le musée Océanographique, les enfants étaient drôlement contents...
A Il faisait beau?
B Magnifique... Le soir, on a dîné dans un restaurant tout près de la mer.

▷ Réponse : *B*

16 ▷ 1 Oui, j'avais une voiture. C'était une ... / 2 Oui, j'étais étudiant à ... / Non, je n'étais pas étudiant. Je travaillais. / 3 Oui, je travaillais. J'étais ... / 4 J'habitais à ... / 5 Oui, je faisais du tennis, du football, du ski, de la natation. / 6 Oui, j'avais la télévision.

17 ▷ – en France / à Tahiti / en Australie / chez moi.
– Elle a gagné à la loterie. / Elle a eu une fille et un garçon. / Elle est restée chez elle. / Il a trouvé une nouvelle énergie.

⊗ **18** Voir enregistrement Unité 4. i. (1ʳᵉ partie).

**19** ▷ *Réponses libres.*

20 ▷ Je suis <u>allée</u> à Monte-Carlo. J'ai <u>pris</u> le train. En voiture, c'est trop cher. / Je suis <u>arrivé</u> à Paris. Je suis <u>descendu</u> à l'hôtel du Nord. / J'ai <u>passé</u> mes vacances à Tahiti. Je suis <u>allé</u> en avion. A Tahiti, j'ai <u>fait</u> de la pêche sous-marine.
1 arrivé      2 descendu      3 pris

⊗ **21 Répondez.**

| | |
|---|---|
| C'est votre fille? | ▷ *Oui, oui, c'est ma fille.* |
| C'est votre fils? | ▷ *Oui, oui, c'est mon fils.* |
| C'est votre secrétaire? | ▷ *Oui, oui, c'est ma secrétaire.* |
| C'est votre voiture? | ▷ *Oui, oui, c'est ma voiture.* |
| C'est votre stylo? | ▷ *Oui, oui, c'est mon stylo.* |
| C'est votre dictionnaire? | ▷ *Oui, oui, c'est mon dictionnaire.* |
| C'est votre médecin? | ▷ *Oui, oui, c'est mon médecin.* |
| C'est votre amie? | ▷ *Oui, oui, c'est mon amie.* |

**22** ▷ *Réponses libres.*

---

## Unité 5 — Et maintenant, faites le point.

4 ⊗ Voir texte, page 148.

| | | |
|---|---|---|
| 2 hommes | × | Jacques |
| connus | × | accepte |
| inconnus | | refuse × |

5 ⊗ Voir texte, page 148.

| | × |
|---|---|

6 ▷ son / Elle / école / pour / un / a / et / pas / a / C' / mère / à / jours / yeux / infirmière / Il / l' / le / ses – les / rentrés / docteur / des.

7 ▷ b 1 / c 6 / d 7 / e 2 / f 3 / g 5.

8 ⊗ Voir texte, page 148.

9 ▷ faire : je faisais / avoir : j'aurai / œil : yeux

L'hôtel / la rencontre / la profession / le restaurant / le médecin / la mer / le taxi / la table / l'eau / l'essence / la bicyclette / le feu.

---

23 ▷ 1 a / 2 b / 3 b / 4 a / 5 a.

24 1 Mange la pomme, la salade, la viande, ta glace,... / 2 Je ne connais pas Pierre, son mari, le doc-

teur, ... / 3 Je souligne les mots, les verbes, les noms, ... / 4 Elle écoute le professeur, la radio, la musique, ... / 5 Ils écrivent l'exercice, le mot, la lettre, ... / 6 On remplace le nom.

**25** Voir enregistrement Unité 6. e.

**26**

| phrases | 1 | 2 | 3 | 4 | 5 | 6 |
|---|---|---|---|---|---|---|
| ▷ | | × | × | × | | |

**27** ▷ *Réponses libres.*

**28** ▷ Arrive mercredi 15 Montréal – Hôtel Montroyal – Aimerais te voir – Téléphone hôtel – Amitiés – Alain.

**29** ▷ A la campagne / à côté de la chambre / en ville / dans une grande ville / dans une maison / sur le toit / au deuxième étage / au rez-de-chaussée / autour de la maison.

**30 Écoutez et complétez le tableau.**
A J'aimerais vivre à la campagne, dans une grande maison.
B Moi, je n'aimerais pas vivre à la campagne, j'aimerais vivre en ville, mais pas à Paris, non, dans une petite ville. Et mon appartement, je le vois au deuxième étage, pas au rez-de-chaussée, non, j'aimerais pas vivre au rez-de-chaussée.
C Moi, j'aimerais vivre à côté d'une grande ville mais pas dans une petite ville, oh, non, les petites villes, c'est affreux.
▷ Réponses : à / au / dans / en.

**31** ▷ 1 Moi, j'adore les photos du livre. / 2 Il a trouvé le film très bon et il a aimé la musique.

**32 Donnez une opinion contraire.**
J'ai trouvé le film très mauvais.
▷ *Pas moi, je l'ai trouvé très bon.*
J'ai trouvé les exercices très difficiles.
▷ *Pas moi, je les ai trouvés très faciles.*
J'ai trouvé la pièce très bonne.
▷ *Pas moi, je l'ai trouvée très mauvaise.*
J'ai trouvé les exercices très faciles.
▷ *Pas moi, je les ai trouvés très difficiles.*
J'ai trouvé le scénario très intelligent.
▷ *Pas moi, je l'ai trouvé très bête.*
J'ai trouvé les chansons très bêtes.
▷ *Pas moi, je les ai trouvées très intelligentes.*
J'ai trouvé la vie en France très chère.
▷ *Pas moi, je l'ai trouvée très bon marché.*

**33 Répondez.**
Tu pars quand? Demain soir? ▷ *Non, ce soir.*
Il arrive quand? La semaine prochaine? ▷ *Non, cette semaine.*
Vous partez quand? Demain après-midi? ▷ *Non, cet après-midi.*
Elles viennent quand? Demain matin? ▷ *Non, ce matin.*

**34** Voir enregistrement Unité 7. f.

**35**
| il aura | elle finira | nous viendrons |
|---|---|---|
| elles appelleront | nous devrons | ils iront |
| je saurai | je boirai | je verrai |
| nous pourrons | vous croirez | on travaillera |
| tu seras | tu diras | vous voudrez |
| vous comprendrez | elle mettra | elles feront |
| ils porteront | il voudra | elle entendra |

**36 Répondez.**
Tu prends le train de six heures? ▷ *Je le prendrais bien, mais...*
Tu viens demain soir? ▷ *Je viendrais bien, mais...*
Tu lis ce roman? ▷ *Je le lirais bien, mais...*
Tu reviens la semaine prochaine? ▷ *Je reviendrais bien, mais...*

Tu pars demain? ▷ *Je partirais bien, mais...*
Tu envoies l'argent demain? ▷ *Je l'enverrais bien, mais...*

**37** ▷ *Réponses possibles, exemples :*
2 Je viendrais bien, mais... je suis pris. / 3 Je le lirais bien, mais... c'est trop difficile. / 4 Je reviendrais bien, mais... je n'ai pas de voiture. / 5 Je partirais bien, mais... je suis trop fatigué(e). / 6 Je l'enverrais bien, mais... je serai très occupé(e).

**38** Voir enregistrement Unité 8. h, dialogue 6.

**39** ▷ *Réponses libres.*

**40 Répondez.**
Je t'attends à huit heures? ▷ *D'accord, attends-moi à huit heures.*
Je t'accompagne à la gare? ▷ *D'accord, accompagne-moi à la gare.*
Je te présente à Michel? ▷ *D'accord, présente-moi à Michel.*
Je te suis au garage? ▷ *D'accord, suis-moi au garage.*
Je t'écris poste restante? ▷ *D'accord, écris-moi poste restante.*
Je te laisse devant l'hôtel? ▷ *D'accord, laisse-moi devant l'hôtel.*
Je te téléphone ce soir? ▷ *D'accord, téléphone-moi ce soir.*

**41** ▷ Achète-moi des cigarettes, le journal, un livre, ... / Écris-moi une lettre, une carte postale, ... / Envoie-moi une lettre, un cadeau, de l'argent, un télégramme, ... / Invite-moi au restaurant, au concert, au théâtre, chez toi, ...

**42** ▷ *Il m'attendra Nous te battrons Elle me téléphonera*

| t' | le | te |
|---|---|---|
| nous | la | lui |
| vous | vous | nous |
| les | les | vous |
| | | leur |

*Vous m' écrirez  Tu m'accompagneras*

| lui | l' |
|---|---|
| nous | nous |
| leur | les |

**43** ▷ En France, on mange du fromage / il y a beaucoup de fromages. La tour Eiffel. Napoléon. Victor Hugo. La révolution française. Une baguette. Notre-Dame de Paris. Les parfums français. Les Folies bergères. La littérature française...

**44 Répondez librement.**
Vous partez à quelle heure le matin? ▷ *Réponses libres.*
Vous arrivez à quelle heure au bureau?
Vous rentrez à quelle heure le soir?
Vous vous levez à quelle heure le matin?
Vous mangez à quelle heure le soir?
Vous vous couchez à quelle heure le dimanche?

**45 Répondez.**
C'est tout près de chez vous? ▷ *Ah oui, tout près.*
C'est à côté du bureau? ▷ *Ah oui, à côté.*
C'est très loin de la gare? ▷ *Ah oui, très loin.*
C'est assez loin des Tuileries? ▷ *Ah oui, assez loin.*
C'est tout près de la Concorde? ▷ *Ah oui, tout près.*
C'est très loin de la Seine? ▷ *Ah oui, très loin.*

**46** ▷ 1 le matin / le jeudi / tous les jours / 2 cette année / l'année prochaine / en 1983 / 3 hier / lundi dernier / 4 en janvier / l'année prochaine / la semaine prochaine / 5 l'année dernière / avant.

**47 Répondez.**
Il est professeur? ▷ *Non, c'est sa femme qui est professeur.*
Il est infirmier? ▷ *Non, c'est sa femme qui est infirmière.*
Il est secrétaire? ▷ *Non, c'est sa femme qui est secrétaire.*

Il est avocat? ▷ *Non, c'est sa femme qui est avocate.*
Il est directeur? ▷ *Non, c'est sa femme qui est directrice.*
Il est médecin? ▷ *Non, c'est sa femme qui est médecin.*
Il est biologiste? ▷ *Non, c'est sa femme qui est biologiste.*
Il est photographe? ▷ *Non, c'est sa femme qui est photographe.*

**48  Répondez.**
Est-ce que Nicole change de travail?
▷ *Elle m'a dit qu'elle changeait de travail.*
Est-ce que Pierre vient à Paris?
▷ *Il m'a dit qu'il venait à Paris.*
Est-ce que Marianne se marie bientôt?
▷ *Elle m'a dit qu'elle se mariait bientôt.*
Est-ce que Jacques va à Nice?
▷ *Il m'a dit qu'il allait à Nice.*
Est-ce qu'Alexandre va mieux?
▷ *Il m'a dit qu'il allait mieux.*
Est-ce que Sophie part au mois de mars?
▷ *Elle m'a dit qu'elle partait au mois de mars.*
Est-ce que François déménage?
▷ *Il m'a dit qu'il déménageait.*
Est-ce que Marc vient cette semaine?
▷ *Il m'a dit qu'il venait cette semaine.*

**49** ▷ 2 / 4 / 5 / 6 / 1 / 3.

**50** ▷ Pierre Roulin est marié, il a deux enfants, sa femme s'appelle Claire, il a 46 ans, il travaille dans une banque, il se lève tous les matins à sept heures.

**51  Répondez.**
Si on suivait cette voiture? ▷ *Tu crois? On la suit?*
Si on prenait le métro? ▷ *Tu crois? On le prend?*
Si on appelait la police? ▷ *Tu crois? On l'appelle?*
Si on réveillait les enfants? ▷ *Tu crois? On les réveille?*
Si on prenait le bus? ▷ *Tu crois? On le prend?*
Si on appelait sa femme? ▷ *Tu crois? On l'appelle?*
Si on appelait les Garcin? ▷ *Tu crois? On les appelle?*
Si on emmenait les enfants? ▷ *Tu crois? On les emmène?*

**52** ▷ se sont salués / se sont réveillés / ne s'est pas levée / s'est arrêté / se sont promenés.

**53** ▷ au / en / aux / en / au / en.

**54** ▷ 1 Je te dis que j'ai assez de lait, de crème, de sucre, d'eau, ... / 2 Non merci, je n'en veux plus. / Je n'en prends plus. / J'en ai assez. / 3 Je te dis que je ne veux plus de poisson, de viande, de salade, de fromage, de vin,...

**55** ▷ a) clair, ensoleillé / des orages / couvert, des averses, des averses, de vents.
b) *Mercredi*, le temps sera d'abord ensoleillé, puis il y aura des orages. / *Jeudi*, le temps sera couvert avec des averses. / *Vendredi*, il y aura des averses accompagnées de vents, puis le temps sera ensoleillé.

**56**  Voir enregistrement Unité 12. k.

**57** ▷

|   | quoi | où | quand |
|---|------|----|-------|
| 1 | concert de musique ancienne | à Notre-Dame | samedi 16, à 18 h 30 |
| 2 | spectacle de marionnettes | salle Wagram | du 18 au 21, à 17 heures |
| 3 | randonnée à bicyclette | dans Paris, rendez-vous sous la tour Eiffel | dimanche, 8 heures |

**58**  Dimanche à 15 heures, il y a un match de rugby au stade de Colombes. Tu veux venir avec moi? / On pourrait aller ensemble voir « Les jours de la vie » au Capitole, par exemple samedi, à 19 heures. / Es-tu d'accord pour aller écouter du jazz au Métropole, jeudi à 20 h? / Veux-tu dîner avec moi « chez Françoise », jeudi prochain à 19 h 30? (*Réponses possibles.*)

**59  Répondez.**
On pourrait faire un pique-nique.
▷ *Oh ! moi, les pique-niques...*
On pourrait faire un bal masqué.
▷ *Oh ! moi, les bals masqués...*
On pourrait visiter un musée.
▷ *Oh ! moi, les musées...*
On pourrait faire une excursion.
▷ *Oh ! moi, les excursions...*
On pourrait aller au théâtre.
▷ *Oh ! moi, le théâtre...*
On pourrait organiser une conférence.
▷ *Oh ! moi, les conférences...*

**60** ▷ 1 Je suis déjà invité. / 2 Je n'aime pas la peinture moderne. / Je n'aime pas les expositions de peinture. / J'ai déjà vu cette exposition. / 3 Je n'aime pas la bicyclette. / Je n'ai pas de bicyclette. / Je suis trop fatigué(e). / 4 J'ai horreur du football. / Je n'aime pas les matches.

**61** ▷ 1 le / 2 à 3 en / 4 au / 5 à, à / 6 la / 7 au / 8 à.

**62** ▷ 1 vous – à – pour / 2 depuis – en – ne – la / 3 pour – trouve.

**63  Répondez.**
Il y a encore du sucre? ▷ *Non, il n'y en a plus.*
Il n'y a plus de lait? ▷ *Si, il y en a encore.*
Il y a encore des cerises? ▷ *Non, il n'y en a plus.*
Il y a encore de la place? ▷ *Non, il n'y en a plus.*
Il n'y a plus de papier? ▷ *Si, il y en a encore.*
Il n'y a plus de cigarettes? ▷ *Si, il y en a encore.*
Il y a encore du pain? ▷ *Non, il n'y en a plus.*
Il y a encore de l'eau? ▷ *Non, il n'y en a plus.*

**64** ▷ 1 = Africaine (Côte-d'Ivoire) / 2 = Québécois / 3 = Belge.

**65** ▷ *Réponses libres.*

**66  Trouvez des réponses possibles.**
**A vous.**
Pourquoi pars-tu si tôt?
Pourquoi tu ne manges pas?
Pourquoi apprends-tu le français?
Pourquoi tu ne prends pas de vacances?
Pourquoi tu ne parles pas?
Pourquoi tu ne viens pas avec moi?

**67**  Barrer : ▷ 1 jeter / 2 lire / 3 médicaments / 4 perdre / 5 menus / 6 saluer / 7 discussions / 8 calculer.

# Lexique

Cette liste reproduit environ 700 mots courants de la langue française utilisés dans *Cartes sur table*.

- Le numéro renvoie à la page où le mot apparaît pour la première fois, soit dans un texte écrit, soit dans un texte oral. Dans ce dernier cas, il faut se reporter aux textes des enregistrements (exemple : **rond 55** renvoie au texte enregistré exploité page 55 mais dont la reproduction écrite est à la page 148).
- Les noms sont toujours accompagnés d'un article qui indique leur genre, féminin ou masculin (voir paragraphes 4 et 5 de la grammaire).
- Le féminin des adjectifs est donné chaque fois qu'il est différent du masculin. Regardez aussi le paragraphe 9 de la grammaire.
- Les mots importants exprimant le lieu et le temps figurent dans la grammaire aux paragraphes 18-21 et 22-25.

Imprimé en France par BRODARD GRAPHIQUE - Coulommiers-Paris HA/2162/2
Dépôt légal n° 9499-12-1984 — Collection n° 14 — Édition n° 05.